DUFY

LE PEINTRE DÉCORATEUR

30, av. Jean-Jaurès, 94110 Arcueil.
Tél. : (1) 46 56 06 67.

DUFY

LE PEINTRE DÉCORATEUR

Xavier Girard
Dora Perez-Tibi

ANTHESE

Remerciements

L'Exposition DUFY, le Peintre Décorateur est placée sous le haut patronage de :
Monsieur Christian IACONO, Maire de Vence ;
Madame Françoise PETER, Adjoint Délégué à la Culture.

Le Conseil Municipal de la ville de Vence
Monsieur Zia MIRABDOLBAGHI, Directeur des Affaires Culturelles ;
Madame Catherine FENESTRAZ, Directeur Adjoint des Affaires Culturelles.

La ville de Vence remercie :
Monsieur Jacques SALLOIS, Directeur des Musées Nationaux ;
Monsieur François BARRÉ, Délégué Président du Centre National des Arts Plastiques ;
Monsieur François DE BANES GARDONNE, Directeur Régional des Affaires Culturelles Provence-Alpes-Côte d'Azur ;
Monsieur Bernard CONQUE, Directeur Adjoint des Affaires Culturelles Provence-Alpes-Côte d'Azur ;
Madame Françoise BECK, Déléguée aux Musées, Direction Régionale des Affaires Culturelles Provence-Alpes-Côte d'Azur ;
Madame Françoise CHATEL, Conseillère Artistique, Direction Régionale des Affaires Culturelles Provence-Alpes-Côte d'Azur.

Le Conseil Général des Alpes-Maritimes

La ville de NICE et tout particulièrement :
Monsieur André BARTHE, Adjoint au Maire de Nice, Délégué à la Culture, Conseiller Régional, Sénateur suppléant.
Monsieur Lucien PAMPALONI, Directeur de l'Action Culturelle de la ville de Nice.
La Direction des Musées de Nice.

Et pour leur précieuse collaboration artistique :
Monsieur Xavier GIRARD, Conservateur du Musée Matisse de Nice et Commissaire général de l'exposition.
Madame Dora PEREZ-TIBI, Conseillère Artistique.

Pour leur contribution :
Régine FERTILLET, Nicole DENUS, Valérie CHANIOL, Carole MAUREL, Christian FENOCCHIO, Ange CRISTINI, Marcel GAZAGNAIRE, Michel BERNARD;
Les Services Techniques, de la ville de VENCE.

La Bibliothèque de la Comédie Française.
Le Musée des Beaux-Arts André-Malraux, Le Havre.
Le Mobilier National.
Le Musée Historique des Tissus de Lyon.

Le Musée National d'Art Moderne.
Le Musée des Arts Décoratifs, Paris.
Le Musée des Beaux-Arts de Nice.

Les Galeries
Larrock-Granoff
Louis Carré
Marwan-Hoss
Matignon - Fine Art
Fanny Guillon-Lafaille

Les nombreux collectionneurs, qui désireux de garder l'anonymat ont consenti des prêts pour cette exposition.
Les éditions Anthèse, Claude Draeger et Christina Campodonico.
L'Imprimerie Alençonnaise, Guy Kapps et Philippe Jarry.
M. Régis Lebigre, assurances A.G.F.

L'exposition Dufy, le Peintre Décorateur a été réalisée avec le concours de la ville de Vence, le soutien du Ministère de la Culture et de la Francophonie, la Direction Régionale des Affaires Culturelles de Provence-Alpes-Côte d'Azur, le Conseil Général des Alpes-Maritimes.

Sommaire

Château de Villeneuve, VENCE.

Vence, l'étape de lumière

C'est en 1909 que Raoul Dufy découvre pour la première fois la cité des Baous. Ici à Vence, l'Azur est intensément bleu. Les allées bordées de platanes géants terminent leurs trajectoires sur des places aux étendues intimes. Une multitude de fontaines où coule une eau limpide, des chapelles colorées, des collines ornées d'une végétation luxuriante rappellent, par delà les remparts, ces paysages de l'arrière littoral, si chers à Cézanne. Composés de diverses essences, palmiers, oliviers, cyprès, roses, glycines et de jasmins odorants, les jardins ne manqueront pas de déployer leurs charmes au regard du voyageur du nord.
Déjà en 1905, au Salon de l'Automne, il avait reçu un premier choc, une révélation devant cette œuvre de Matisse : « Luxe, calme et volupté » si déterminante pour l'expérience de sa période fauve.
A Vence se poursuit et s'affirme la recherche de la couleur pure, la transparence, la fluidité des teintes, la légèreté des lignes. Plusieurs autres séjours se succèderont ici ainsi qu'en témoignent les œuvres telles que : Vence 1919-1920, les Collines de Vence 1919, l'Atelier de l'Artiste à Vence, 1945.
Voici qu'au commencement de ce bel été 1993, au moment où la lumière parvient à son plus bel éclat, la cité des Baous s'apprête dans l'une de ses plus belles demeures, Le Château de Villeneuve, à rendre hommage à l'un des grands maîtres du XXe siècle.
Vence, dont Dufy s'inspira pour de nombreux tableaux dans les années 10 et 20 sert de prétexte et d'invitation pour accueillir une nouvelle fois le peintre.
Car le sujet de l'exposition est autre : il s'agit de montrer non seulement les œuvres vençoises du peintre, mais aussi et surtout le peintre décorateur qu'a été, incomparablement, Raoul Dufy.
Bonheur de ces rencontres d'été, l'exposition montre en même temps en regard l'une de l'autre, l'œuvre décorative et l'œuvre peinte, afin d'en comprendre l'invention croisée, les plus merveilleux échanges et les transpositions sans nombre.

Zia Mirabdolbaghi,
Directeur des Affaires Culturelles de Vence.

Raoul Dufy dans son atelier de l'Impasse de Guelma, vers 1932.

Raoul Dufy, le peintre décorateur

« La décoration et la peinture se désaltèrent à la même source ». Raoul Dufy

Peintre ? Décorateur ? Petit maître léger, facile ? Autant de questions obsolètes, dépassées en ce qui concerne Raoul Dufy. Car il est d'ores et déjà établi qu'il a mis au service des arts appliqués son immense talent de peintre et que sa contribution majeure à l'art décoratif est le corollaire de son apport original à l'art pictural de la première moitié du XXe siècle. Telles sont les deux facettes de sa création qui auront concouru à la « vraie grandeur » (1) de Raoul Dufy.
« Concevons en artiste et exécutons en artisan » (2), tel fut le credo esthétique auquel Dufy s'est constamment référé. Il s'est toujours plu à souligner la complémentarité de son activité picturale et de ses productions décoratives, difficiles à dissocier dans son œuvre. Dufy en effet a volontairement donné une place prépondérante aux techniques artisanales, établissant ainsi un dialogue entre les différentes formes d'expressions décorative et picturale, flux et reflux d'une parfaite adéquation contribuant à l'enrichissement de sa grammaire esthétique.
Car pour lui, pas de hiérarchie de disciplines plastiques : la conduite de ses travaux dans les différents domaines d'art appliqué, illustrations, productions textiles, céramiques, cartons de tapisseries, décorations théâtrales et murales, témoignent de cet esprit de recherche permanent et de son intérêt passionné pour « le métier », abordé avec le même enthousiasme de son tempérament curieux. Dufy s'est effectivement astreint à découvrir les lois et les impératifs propres à chacune des techniques, les faisant bénéficier de leurs apports mutuels et découvertes réciproques. Et il est de fait que son expression picturale s'en est trouvée enrichie. Ainsi, son esprit d'invention et de création y a trouvé un tremplin propice à l'acquisition d'un style original dont témoigne l'ensemble de son œuvre où s'expriment humour et poésie, où se mêlent réel et imaginaire, marqués du sceau de son bonheur de créer, de sa jouissance du « faire ».
Dès 1908, l'orientation de son art pictural sous influence cézannienne, engage Dufy – porté par inclination naturelle à l'art décoratif – à expérimenter parallèlement de nouvelles recherches dans le domaine des arts appliqués.
Si l'exemple de Gauguin le confirme dans cette voie, ses aspirations nouvelles trouvent un écho dans le mouvement de réhabilitation

des arts décoratifs dessiné en Europe à la fin du XIXe siècle et inauguré en France par la naissance de l'Union centrale des arts décoratifs en 1882. Il faut également signaler le rôle important joué par Samuel Bing qui accueille dès 1895 dans ses galeries toutes les créations contemporaines en matière d'art décoratif. Cette tendance en faveur des arts appliqués se retrouve en Belgique où le groupe des Vingt leur accorde à Bruxelles une large place dans leurs expositions en 1892 et 1893. Ces mêmes idées d'unité de l'art se développent en Angleterre où dès 1888, le mouvement Arts and Crafts se situe à l'origine d'un profond renouveau dans les créations de tissus, de mobilier et d'artisanat d'art sous l'égide de William Morris.
Ce courant de revalorisation des arts décoratifs manifesté également à Munich, marque certainement Dufy lors de son séjour effectué en 1909 en compagnie de Friesz, sur l'invitation de Hans Purrmann, l'un des premiers élèves de Matisse et Nassier de son atelier. Ce voyage lui permet de découvrir le monde des arts décoratifs munichois, consacrés en 1908 dans la capitale bavaroise et révélée aux Parisiens au salon d'automne de 1910, en même temps que les travaux du Deutscher Werkbund, dont les tendances culmineront au Bauhaus.
En amont de la contribution majeure de Raoul Dufy à l'art décoratif, se situe « l'aventure » du *Bestiaire ou Cortège d'Orphée* d'Apollinaire qui, en 1911, considère le peintre comme l'« un des plus originaux et des plus habiles réformateurs des arts dont s'honore la France ». L'illustration de cet ouvrage souligne son intérêt pour la technique de la xylographie et atteste sa capacité de création originale. Se situant dans la lignée des graveurs sur bois médiévaux, il y déploie une parfaite maîtrise et un sens remarquable du matériau et de l'outil. Dès lors, se remarquent des analogies de style entre certains bois et les œuvres peintes à la même époque, tels ceux d'*Orphée* et *La dame en rose*, où les volumes galbés témoignent du goût de Dufy pour les arabesques et la ligne courbe et préfigurent son détachement progressif du style rigoureux de sa période cézanienne, pour un style original. A cet égard, nous pouvons mettre en évidence l'apport enrichissant de ses expériences dans le domaine des arts décoratifs au profit de son œuvre peint, en notant la filiation de la figure d'*Apollon* tenant sa lyre, ou celle d'*Arlequin à la manière vénitienne* (tous deux de 1939), dans la présentation et la posture du personnage, reprises elles-mêmes du bestiaire populaire de l'*Horapollo*. De même, faut-il voir dans la négation de toute recherche de profondeur manifestée dans ses gravures, un écho de la leçon cézanienne expérimentée au même moment à l'huile.
Toutefois, Dufy a su dépasser les pratiques traditionnelles de la taille d'épargne en la renouvelant par son utilisation du procédé des

hachures. Alors que dans les bois médiévaux, les imagiers réalisaient des dégradés du blanc pur au noir, à l'aide de tailles parallèles ou croisées, plus ou moins fines, Dufy utilise les hachures à d'autres fins : son but est d'engendrer la lumière. Dans chacune des illustrations, il fait preuve d'une imagination, d'une invention créatrice, sans cesse renouvelées, servies par un travail de recherches et de mises au point qui préfigurent l'un des buts essentiels poursuivis tout au long de son œuvre peint ou décoratif : un inlassable éclatement de la lumière.

De la collaboration Apollinaire-Dufy est né l'un des chefs d'œuvre de l'art graphique du XXe siècle, dont la qualité et l'importance en font l'un des ouvrages les plus recherchés par les bibliophiles contemporains. Mais déjà, en 1911, « un homme de goût, ayant créé une école d'art décoratif, écrit Apollinaire, me disait hier que c'était là le seul ouvrage moderne dont il laissait voir les gravures à ses élèves ». Cet homme de talent, cultivé, fou de créativité et d'innovation dans le domaine de l'art décoratif s'appelait Paul Poiret. Reconnaissant les qualités maîtresses, pleines d'invention de Dufy, il allait lui donner les moyens d'exploiter son génie décoratif. Celui-ci devait dès lors prêter son concours au renouvellement des tissus.

Effectivement, Raoul Dufy passé maître dans l'expérimentation de la xylographie, est lui-même fasciné par ses ressources décoratives. Comme il le note dans son manuscrit inédit, « Ce qui me séduisait dans la gravure, c'était le résultat plastique plutôt que le graphique et aussi l'exercice d'un métier où l'adresse manuelle reprenait son emploi... En gravant, j'ai trouvé qu'on obtenait un bel effet plastique et décoratif rien qu'avec les ressources du procédé primitif du canif et des gouges que j'employais. Après avoir gravé le *Bestiaire* de Guillaume Apollinaire, je me suis mis teinturier et imprimeur sur étoffes. » Sa brève collaboration avec Poiret à la Petite Usine (1910-fin 1911) aura constitué un tremplin pour Dufy. Plongé au cœur même de la technique de l'impression sur titre, nouveau support d'une création originale, il en a acquis toutes les subtilités et maîtrisé les multiples facettes, en particulier les problèmes des colorants résolus en assimilant avec facilité des notions de chimie. Son engagement avec Poiret aura été décisif pour sa carrière : ses travaux lui ont permis d'une part de se dégager peu à peu de la rigueur formelle d'une esthétique « cubisante » et de retrouver la verve et la fantaisie naturelle de son tempérament ; d'autre part, ils l'ont entraîné dans la voie de la décoration textile, essentielle pour l'épanouissement de son art, persuadé qu'il y trouvait une application logique de son organisation de la couleur. Car ce problème de la couleur a très tôt retenu son attention : en rechercher la solution a constitué sa préoccupation constante. Dufy devait déclarer : « il a toujours existé pour moi un certain ordre de la couleur qui pourrait se formuler ainsi : couleur = lumière. Concept de peintre ? sans doute. Mais cet axiome découvert vers 1908, j'escomptais bien en tirer une application pratique pour la décoration. L'éclat des couleurs de teinture imprimées sur la soie ne devait-il pas faire apparaître soit l'erreur soit l'excellence de mon principe d'une manière plus probante qu'avec les couleurs à l'huile et le tableau de chevalet ? [...] me voilà donc amené à la décoration et à la mode, non par délassement ou amusement, mais pour une expérience sérieuse. Que d'échos cette période passionnante de ma vie ne réveille-t-elle pas en moi ? Grâce à Poiret et Bianchini-Férier, j'ai pu réaliser cette relation de l'art et de la décoration, surtout montrer que la décoration et la peinture se désaltèrent à la même source ».

Durant sa longue activité textile au service de la maison Bianchini-Férier (1912-1928), son art atteint une aisance et un brio, servi par sa maîtrise de ce principe de la couleur-lumière qu'il appliquera désormais à sa production picturale. « En apportant à la gravure mes recherches de peintre et en appliquant à la décoration le résultat de mon œuvre de graveur, j'ai introduit dans l'art de la décoration des tissus, un élément qu'on ne pouvait tirer de la conception de la décoration, officiellement enseignée et communément pratiquée ». Ainsi Dufy souligne-t-il de lui-même cette interaction des différentes expressions artistiques qui lui auront permis aussi bien d'enrichir le domaine de la peinture que de servir réciproquement les différentes expériences décoratives. Leur mutuelle pénétration interdit les limites précises entre le peintre et le décorateur, car comme il le note « le peintre ne cesse toute sa vie de se pencher sur toutes les formes de son art et d'en rechercher la structure véritable, ni d'enrichir son esprit de toutes les connaissances qu'une recherche constante lui apportera ».

Ses expériences dans le domaine de l'impression sur tissu sont menées avec la même sensibilité et détermination au profit de l'œuvre picturale : c'est ainsi que le décorateur guide le peintre comme il arrive que celui-ci fasse appel au technicien. Cependant, note Dufy « beaucoup de gens s'imaginent qu'il y a des lois de composition décoratives. Je crois que c'est une erreur : c'est dans la connaissance et la pratique d'un métier qu'un artiste peut faire œuvre de décorateur ». De même évoque-t-il les exigences de la matière : « L'art de la décoration est quelque chose en soi qui tire son expression de la matière dont elle naît et n'est pas la reproduction de quelque chose dans une autre. La véritable décoration est une œuvre conçue dans la matière de son exécution. Ceci assigne à l'artiste de devenir un technicien s'il veut tirer d'un métier le concours indispensable de ses inventions. » C'est pourquoi, « lorsqu'on applique une planche gravée, une fleur prend une certaine finalité décorative, un aspect qui lui est imposé par la gravure et son genre d'application sur le tissu. Cette même fleur, le décorateur céramiste la peint avec ses dégradés et ses fondus sur la porcelaine parce

que son outil, son pinceau et sa couleur le lui permettent ainsi. Suivant l'armure et le montage d'un damas, cette même fleur prendra encore un autre aspect et le peintre pourra la rendre sur sa toile avec l'aspect d'une autre vérité. » Cette prise de conscience des problèmes soulevés par les différentes techniques dont il a voulu percer les secrets souligne cette faculté d'adaptation et de renouvellement dont Dufy a fait preuve tout au long de son œuvre.
C'est vers 1920 à Vence, où il séjournera à plusieurs reprises qu'il va adopter dans ses peintures et ses aquarelles un procédé inspiré par sa pratique de la gravure sur bois et approfondi dans ses travaux pour tissus destinés à Bianchini-Férier : il consiste à ne pas insérer la couleur dans les limites du contour des formes. En effet, Dufy va se départir de l'esthétique cézanienne de ses paysages de Vence des années 1908-1910, où un dessin structuré enserre les formes aux tons restreints ; la ligne va s'assouplir en arabesque, la couleur va reprendre ses droits grâce à son expérimentation dans le domaine textile : Dufy la pose avec plus de liberté en la dissociant du trait selon une vision originale qui trouve son application dans sa production picturale contemporaine. Devenue indépendante, la tache de couleur s'étale soulignée par l'arabesque d'un pinceau tout de verve et de grâce ; dans ses projets textiles, les fleurs ornementales, plus légères, plus aériennes, rayonnent de leur épanouissement. Traitée à l'huile et à l'aquarelle, dans ses paysages du Midi contemporains, cette autonomie de la couleur et de la ligne confère à chacun des éléments de sa composition u maximum d'intensité et affirme leur complémentarité. Plus tard, Dufy expliquera que cette volonté s'est trouvée fortifiée par une observation fortuite : une fillette vêtue de rouge courant sur la jetée de Honfleur laissa persister plus longtemps sur sa rétine, la tache de couleur de sa robe que le contour de sa silhouette.
C'est pendant cette seconde période de Vence que Dufy, confronté à la lumière du Midi, la réinvente, la distribue en larges plages colorées. Ses nombreuses variations sur les collines de Vence vues en contrebas ou à vol d'oiseau témoignent de l'acquisition d'un style pictural original. Il ne retiendra des paysages de Vence et du Baou de Saint-Jeannet que les éléments essentiels, traduits par un graphisme souple, en signes plastiques qui résument sa vision toute personnelle.
L'illustration d'ouvrages littéraires – *La Terre frottée d'ail* de Gustave Coquiot (1925), *La Belle Enfant ou l'Amour à quarante ans* d'Eugène Monfort (1930, *Tartarin de Tarascon* de Daudet (1931) – lui offre l'occasion de revenir dans le Midi de la France qu'il va glorifier dans toute sa splendeur. Le même style vif, alerte, concis, nous restitue avec fantaisie et humour l'animation des rues, des petites places, des marchés livrés à la finesse de ses dons d'observation aigus. Vastes panoramas provençaux baignés de « sa » lumière, déroulés en

une vision en surplomb, évocations du port de Marseille, Méditerranée scintillante de vibrations et faisceaux lumineux : autant d'hommages au Midi qui attestent l'ampleur de son écriture dans des mises en page audacieuses.
Dans l'ensemble de l'œuvre de Raoul Dufy les mêmes thèmes se retrouvent inlassablement déclinés : guidé par la richesse de son invention personnelle, il les a à chaque fois adaptés aux lois de chaque technique, amplifiés, transfigurés. Ces thèmes, quels sont-ils ? Ceux de la mer et des régates, du paddock et des courses, de l'atelier et du nu, des moissons et des dépiquages, des paysages de Normandie et du Midi, de la musique enfin, sans oublier bien évidemment la Seine et Paris, adoptée pour y installer en 1911, Impasse de Guelma, un atelier conservé jusqu'à sa mort, immortalisé à travers de nombreuses compositions, où il choisit de revenir après ses voyages pour élaborer une œuvre longuement mûrie par ses expériences et ses découvertes. C'est à ses motifs de prédilection, définitivement marqués de son empreinte que Dufy confère leurs lettres de noblesse. Voilier et cargo, baigneuse ou amphitrite, poisson et coquillage, cheval et cavalier, violon et violoncelle, épi de blé, monuments parisiens, silhouettes élégantes à la mode, éléphant et tigre, fleur enfin qui émaille les différents parcours de son évolution esthétique : ils participent tous de cet univers enchanteur de Dufy, de ce monde féérique modelé au gré de sa fantaisie, de son humour, de son allégresse, essence d'une représentation où se mêlent le réel et l'imaginaire. Scandé par ses différents engagements dans la vie décorative, son parcours pictural y a trouvé confirmation, solution à ses recherches. La réalisation des quatorze tentures destinées à décorer la péniche *Orgues* de Poiret lors de l'Exposition des arts décoratifs et industriels de 1925 peut en constituer un exemple. L'originalité de Dufy s'y manifeste dans l'emploi de couleurs rongeantes ; en même temps, il y applique sa théorie de la couleur-lumière, immédiatement utilisée dans sa peinture, ainsi qu'il le rappelle : « je veux qu'on se souvienne bien que l'importance que je donne à la couleur vient de ce qu'elle signifie lumière. La lumière c'est la vie, c'est l'âme de la couleur. Toutes mes recherches ont été de trouver un ordre de la couleur qui fasse engendrer de la lumière aux couleurs matérielles des tubes ».
C'est dans ces tentures qu'il résoud le problème de la perspective : le sujet représenté se détache sur un fond constitué pour chacune d'entre-elles de trois ou quatre bandes parallèles de couleurs différentes, étagées en hauteur. Ce sont les rapports entre ces couleurs expliquera-t-il, qui créent l'espace. Cette conception qui modifie la notion de perspective traditionnelle n'est pas sans rappeler celle de Matisse dans les compositions des *Joueurs de boule* ou des *Femmes à la tortue*. Seul compte le rythme pictural que Dufy introduit également dans ses tableaux contemporains, divisés en zones trichromiques verticales ou horizontales, scènes de courses ou représentation des canotiers à Nogent, par exemple.

Ce faisant, rejetant toute traduction traditionnelle de l'espace, Dufy ne se préoccupe guère de l'échelle des motifs en relation avec leur proximité ou leur éloignement. Ce traitement, le plus souvent accordé à la représentation de voiliers, cargos ou autres poissons et mouettes, papillons et chevaux marins, démesurément agrandis par rapport aux personnages dans les tentures des *Mannequins de Poiret à la plage* ou celles représentant *Amphitrite*, se retrouve dans ses œuvres à l'huile, telles *Fête nautique au Havre* ou encore *Régates à Henley*.
Il est légitime d'affirmer que les tentures réalisées pour Poiret ont préparé la réalisation des décors muraux exécutés pour la salle à manger du docteur Viard et pour le salon de la villa *L'Altana* à Antibes, dans la mesure où cette notion même d'espace ne nuit en rien à celle de surface murale. L'ensemble de ces deux décorations engendre une sensation d'espace illimité fortement accusé par l'invention poétique d'un univers, entièrement recréé avec une extrême liberté inhérente à une écriture qui promène notre regard émerveillé au gré de sa fantaisie et suscite en nous l'écho de son bonheur de peindre, écriture où la verve le dispute à l'autorité du trait où l'imagination revendique ses droits, cette « imagination introduite dans le dessin et la couleur » révélée en 1905 par *Luxe, calme et volupté* de Matisse. « Je pense, écrira plus tard Dufy, que la peinture a pour but, en empruntant à l'apparence et à la réalité, de traduire les choses de l'imagination ; elle tend naturellement à la poésie, la ligne est la pensée et la couleur son verbe. J'aime mieux, ajoute-t-il, la peinture quand elle vous mène dans le monde des lignes et des couleurs que quand elle prétend nous décrire ce qui est immédiatement sous nos sens. »
Cette conception, Dufy devait l'appliquer aux décors de théâtre : « Ce que je demande au théâtre c'est aussi ce que je demande aux Arts, c'est de vous faire vivre l'irréel, car pour la réalité... nous savons. Rien de ce qui est naturel ne nous charme au théâtre. Voyez un acteur sans fard. Il faut donc voir que c'est peint (3). Le décor peut n'être pas la représentation exactement et historiquement située du lieu et du temps de l'action, mais plutôt un commentaire ornemental du drame. Il en va de même pour le costume... ». Dans ses décors, Dufy accorde en véritable magicien son inspiration à la traduction d'un univers théâtral réinventé où s'épanouit sons sens de l'espace et de la couleur. Ces rapprochements ne sont pas fortuits. Nous pouvons les poursuivre en considérant le décor mural pour la salle à manger du docteur Viard comme prélude à celui du bar du foyer du nouveau Théâtre de Chaillot, *La Seine, l'Oise et la Marne* : une même parenté de thème, de style et de conception en affirme la filiation à dix années d'intervalle.
Son sens étonnant de l'espace, Dufy a pu magistralement le déployer et le manifester dans la gigantesque fresque de *La Fée Electricité*. Vaste épopée de son histoire, véritable hymne à la modernité, elle constitue pour Dufy, une étape majeure dans sa carrière. Elle est

l'aboutissement de ses recherches dans les domaines de la couleur et de la technique, auquel ont contribué son activité de peintre mais aussi celle de décorateur, ses thèmes et motifs réunis ici y trouvent leur parfaite et pleine expression. C'est sur Paris, glorifiée, que s'achève cette immense décoration, en une superbe apothéose dominée par l'envol de la figure allégorique de la Fée. Paris, thème privilégié nous est restituée en une évocation panoramique à vol d'oiseau, d'où émerge la haute stature de la Tour Eiffel, célébrée en de chaudes sonorités lumineuses. Bleus, blancs, rouges, soutenus de verts transposent une vision de fête et d'allégresse spirituelle, qui égaie aussi bien l'une des tentures pour Poiret que le décor mural pour le docteur Viard, ou encore l'ensemble des cartons de tapisseries de Beauvais pour un salon commandé par le Mobilier National, ou ceux de deux tapisseries d'Aubusson. C'est en effet dès 1924 que Dufy, voulant enrichir ses possibilités d'expression, a porté un vif intérêt à la tapisserie, se pliant ainsi une nouvelle fois à une technique étrangère à sa fonction de peintre. Il ne cessera de l'expérimenter les années suivantes, en 1936 puis en 1941, pour produire en 1947, 1948 et 1949 ses plus belles réussites en ce domaine : « la connaissance d'un métier est un trésor dans lequel un artiste peut puiser sans fin avec profit. Il y trouvera même de quoi enrichir son imagination ».

En même temps, initié par Llorens Artigas, Dufy mène de front une activité de décorateur de céramique. Il désire pénétrer tous les secrets de cette nouvelle technique, en portant une attention particulière à l'utilisation et à la cuisson des émaux colorés. Son talent s'y exprime à travers thèmes et motifs favoris dont les différentes variations et modulations couvrent vases et jardins d'appartement. Ces travaux empreints de cette liberté et de cette vitalité si caractéristiques de son écriture, dénotent sa science et sa maîtrise de la technique.

Le thème de la musique a rythmé les différentes périodes de la carrière de Dufy et ses premiers dessins d'orchestres apparus vers 1930 vibrent à l'unisson de sa sensibilité musicale. C'est cependant dans *La Fée Electricité* que résonne en fanfare la musique de son premier orchestre symphonique dont les accents devaient retentir jusqu'aux contrées lointaines. Ce thème subira un traitement musical : il devient l'objet d'un développement en série et Dufy y concentre ses recherches sur une équivalence plastique des sonorités musicales. Car il ressent la nécessité de rapprocher peinture et musique. Investie par sa passion, sa sensibilité de peintre lui a fait vivre et expérimenter les rapports institués entre ces deux expressions artistiques. A l'écoute des sonorités chromatiques Dufy veut, en peignant un orchestre, retranscrire la musique par une analogie de couleurs et de lignes. Caractères majeurs de sa maturité artistique, la maîtrise de son écriture picturale et la valeur expressive et constructive de la couleur se conjuguent avec bonheur dans ses *Hommages*

à ses compositeurs préférés, Mozart, Beethoven, Debussy. Au moment où Dufy fait sa « théologie », ses compositions vont tendre vers une monochromie rompue de quelques tons, une « peinture tonale », atteignant par leur dépouillement une résonnance toute particulière attestant que la musique demeure le seul sujet du tableau, expression puissante à l'image de son amour pour elle.
Qu'en aurait-il été de l'art pictural de Raoul Dufy s'il ne s'était engagé dans ces infinies possibilités d'expression artistique offertes par les arts appliqués ? Demandons-nous en retour si celles-ci auraient pu arriver à un niveau majeur sans ses recherches et ses expériences dans le domaine de la peinture. Embrasser l'œuvre dans sa globalité répond à ces questions : les différentes facettes de sa création sont indissolublement liées et nous transmettent le message d'un artiste humaniste qui en diversifiant ses modes d'expression a apporté sa contribution personnelle à l'intégration de l'art dans la vie. Son bonheur de créer, Raoul Dufy l'aura porté à la dimension du bonheur de l'homme.

Dora Perez-Tibi (*),
Docteur en Histoire de l'Art.

(*) Auteur de DUFY, Flammarion, prix Élie Faure, 1989.

(1) André Chastel.

(2) Hormis les propos de Dufy concernant son axiome couleur-lumière (in P. Courthion), toutes les citations sont extraites d'un manuscrit inédit dont nous devons la consultation à l'extrême amabilité de Jacques Robert.

(3) Souligné dans le texte.

Feuilles noires et jaunes, gouache sur papier.

Dans le tissu des images

« *La Décoration ! Tout est dans ce mot* ». Stéphane Mallarmé – « La Dernière Mode »

Bonnard était-il le peintre « naïf, charmant, constamment démodé » qu'on a bien voulu décrire ? Matisse le pacha oriental que certains crurent rencontrer ? Et Dufy, le petit maître agile, délicieux, brillant et un peu vain des « années folles », une sorte de Déodat de Séverac qui ne ferait oublier ni Satie ni Ravel ? La critique d'après-guerre accentuera encore cette idée d'un peintre français plein de talents mais sans réelle envergure : « tout de charme, mais d'un charme sans frivolité, d'une imperturbable élégance... mélange singulier de connaissance et de fraîcheur, de naturel et de désir de plaire, de pudeur et causticité ».
Jean Tardieu qui lui consacre un texte affectueux en 1958 voit en lui « l'ami de toujours qui frappe au volet le matin et qui apporte de bonnes nouvelles ».
Dufy lui-même n'a-t-il pas ajouté à cette légende du peintre au regard d'« enfant de chœur étonné » étranger aux théories et se contentant de peindre du « bout du pinceau » ?
Mais ses entretiens avec Pierre Courthion démontrent le contraire.
Jacques Lassaigne évoque lui aussi avec sympathie mais d'une façon non moins vague et complaisante le « peintre de la tendresse ».
Innombrables sont les variations auxquelles la « séduction » et la « virtuosité » de Dufy ont donné lieu chez ses commentateurs. En 1950 pourtant Pierre Francastel dans « Peinture et société » lui consacre ce bref commentaire qui tranche sur la critique habituelle de l'œuvre : « D'une manière générale il me semble qu'on n'accorde pas à Dufy toute la place qu'il mérite Il apparaîtra sans doute, un jour, comme un de ceux qui ont le plus fait pour assurer le relais entre les générations et pour permettre au public de s'accoutumer aux nouveaux aspects figuratifs de l'univers. L'œuvre de Dufy est peuplée de ces espaces biais, courbes, sans bords, déduits d'enquêtes inspirées encore par l'attitude impressionniste et une extraordinaire sensibilité optique mais libérée du respect des coordonnées euclidiennes nécessairement inscrites dans le cube scénographique. Dufy possède un don merveilleux pour saisir dans un spectacle rapide le trait essentiel ; c'est un merveilleux sténographe de la sensation picturale. On trouvera dans la suite de ses compositions une foule d'enregistrements de perceptions inédites ; c'est un immense répertoire pour les artistes de l'avenir, espaces courbes, formes en voie de se défaire, miroitements et mirages, on souhaite que cette vaste expérience fournisse une matière à des nouvelles stylisations. Personnellement *Dufy a un peu trop cédé au goût pour le décor* et il se trouve presque à cheval entre les générations, trop atta-

ché aux règles de notations purement optiques : sa vision est extraordinairement neuve, son esthétique un peu en retard sur ses dons. Cependant, je pense qu'il se situera plus tard comme un des libérateurs de la vision. Il est un de ceux qui ont aidé notre temps à découvrir de nouveaux objets ». Dufy était bien ce « sténographe » que Francastel reconnaissait, l'inventeur d'espaces inédits mais son « goût pour le décor » était le contraire d'une inclinaison commode et certainement moins accessoire et moins exclusivement *mercenaire* qu'il y paraissait à ses yeux. En devenant décorateur, Dufy ne cède pas à la facilité, ne s'adonne pas à un goût mais procède à une invention égale à celle de l'œuvre peint. Mieux, il conquiert à travers le décor son espace pictural et invente un style propre.
En 1960 le célèbre Panorama des Arts Plastiques Contemporains de Jean Cassou lui rend enfin justice : « Un consentement, sinon général, du moins mondain a reconnu en ses images l'image de notre temps dans ce qu'il peut avoir de plaisant, donc dans ses *moyens de plaire*. On en devait venir à ne voir dans l'art de Dufy, qui en était le reflet, que des *moyens de peindre*. Et ceux-ci sans doute sont excellents. Mais un art dont on ne considérerait que les moyens serait un petit art où ne serait, conformément à son immédiat objet qu'un *art de plaire*. En d'autres termes, un esthétisme. Or l'art de Dufy est un *grand art*, et dont il faut, après avoir considéré de plus près les moyens, considérer la fin. Parce qu'un des moyens en question était la facilité on a jugé Dufy facile. Or son historiographe et commentateur Pierre Courthion, qui, justement, l'a étudié de près, le déclare : « un peintre difficile » et il a raison ». Et Jean Cassou de définir la « facilité » de Dufy comme un moyen mis à contribution d'une œuvre « complexe riche et savante » jusqu'à l'hermétisme. Bref la sténographie de Dufy, ces brévissimes notations qui rappellent les préludes de Debussy, la vitesse particulière de son écriture, loin d'être des signes de frivolité appartiennent à la *méthode* de l'œuvre.
L'impressionnisme de Dufy répond d'abord d'un refus ou mieux d'une peur. En visite au musée de Rouen il rappela à Pierre Courthion que les grandes machines du musée lui inspiraient une sorte d'effroi : « C'est ainsi, confiait-il à son interlocuteur, que j'avais une frousse terrible de la *Justice de Trajan* de Delacroix. Dans la même salle il y avait un *Enlèvement des Sabines* de Cormon, pas très drôle ! Et plus tard à Paris, quand j'étais chez Bonnat, je n'osais pas aller au Louvre. Tout cela m'effrayait. J'ai senti une grande œuvre, mais qui me demeurait étrangère. Je me trouvais plus à l'aise chez Durand-Ruel, devant les Pissarro , les Monet... »
L'attitude de Dufy est fixée. Elle est tout entière une *contre-terreur* et s'emploie jusqu'à l'ultime suite des « cargos noirs » à réagir contre la peur en lui opposant l'éclat et le plaisir du tableau. Contre la nuit romantique, elle choisit donc la lumière impressionniste. C'est elle

que le jeune peintre qui naît au Havre en 1877 admire d'abord dans l'œuvre de son compatriote Boudin et en 1900 devant les vitrines des galeries de la rue Laffitte où il aperçoit Cézanne, Gauguin , Degas, Van Gogh. C'est elle surtout qu'il reconnaît chez Jongkind à proximité de la mer, non loin des lieux de son enfance : « J'étais transporté, dit-il à Barotte, par cette lumière des estuaires seulement comparable à celle que j'ai trouvée à Syracuse. Jusque vers le 20 août, elle est radieuse ; ensuite elle prend des tons de plus en plus argentés ».

L'impressionnisme natif de Dufy doit à ses impressions premières la recherche passionnée d'une luminosité à la fois aigüe et spatialisante, grande pourvoyeuse d'équivalences colorées. Il s'agit là comme le note Marcel Giry d'un « impressionnisme de la fin du XIXe siècle, c'est-à-dire d'un impressionnisme haut en couleurs, aux touches décidées et accordant de l'importance au rythme linéaire ». La série des plages exécutées de 1901 à 1904 à Sainte Adresse révèle à la suite de Boudin mais aussi des compositions japonisantes cette manière incisive de tracer dans lumière scintillante du bord de mer de pures constructions graphiques. *L'Estacade de Sainte Adresse* pourrait constituer plus qu'un motif de prédilection une des figures génératrice de l'œuvre . On y voit en effet très tôt se dérouler le long travelling latéral des tableaux des années 20-30 et des tentures dont l'exemple lui avait été donné par *Luxe, calme et volupté* . » Devant ce tableau, déclare-t-il en 1925, j'ai compris toutes les nouvelles raisons de peindre et le réalisme impressionniste perdit pour moi son charme à la contemplation du miracle de l'imagination introduite dans le dessin et la couleur. J'ai compris tout de suite la nouvelle mécanique picturale ». Retenant moins l'étroite discipline du néo-impressionnisme à laquelle Matisse s'astreint durant cette période que cette primauté de l'imagination qui consacre l'*artifice* du tableau Dufy réalise durant les années 1905 -1907 en Normandie, en compagnie de Friesz, Braque et Marquet des œuvres fauves très proches par leur facture et leur simplification des paysages de ce dernier. Il faut néanmoins souligner que le vocabulaire fauve n'est pas adopté par Dufy au seul contact de ses compagnons et au seul exemple de Matisse. Les séjours que le peintre effectuera aux Martigues et à Marseille en 1903-1905, avaient vu déjà ces scènes de ports écrasés de soleil et ces tentures de marché aux couleurs vives. Les affiches, les ombrelles et les rues pavoisées apparaissent à cet égard moins significatives que le traitement optique que choisit le peintre pour brosser le spectacle de la chronique balnéaire en multipliant bals champêtres, jours de fête et pêcheurs à la ligne.

La réaction cubiste de 1908 nous apparaît par ses rigoureuses démonstrations d'autant plus surprenantes avec ses couleurs sourdes et

Porte, 1912, huile sur panneau.

ses lourds échafaudages. Elle permit en réalité à Dufy de prendre ses distances par rapport au « réalisme impressionniste » et d'inventer dans les tableaux de 1909-1910, notamment, une organisation plastique quasi abstraite dont chaque élément lumière-couleur-dessin se développe avec une indépendance et une rapidité entièrement nouvelle.

Comme en témoignent les œuvres datées du voyage qu'il fit à Munich en 1909 avec Friesz et les premières vues de Vence, Dufy se montre à cette époque curieux de l'expressionnisme allemand et des expériences des graveurs sur bois pratiquées par les peintres de la *Brücke* mais aussi en France par Derain qui grave cette année là les bois de l'*Enchanteur pourrissant* d'Apollinaire.

Ses *Friperies* et surtout *Le Bestiaire* d'Apollinaire en 1910 qui inaugurent son œuvre décorative accusent de fait la primauté du tableau et ses constituants plastiques par rapport aux « notations optiques » précédentes et encouragent le peintre à développer une écriture de signes. « On dit que votre peinture est décorative, lui demande Léon Degand en 1947. Cela ne me dérange pas, répond Dufy, comment empêcher la peinture d'être décorative ? C'est son but. Que la peinture soit décorative c'est presque fatal. Du bout du pinceau on fait naturellement une spirale, une volute. Ce n'est pas désagréable ».

Et Jean Cassou de préciser à ce propos : « Encore une erreur à rectifier il ne faut pas se contenter avec une indulgence attendrie de voir en Dufy un « décorateur ». Bien sûr il a fait de la décoration et cet artiste de cœur assez haut pour se savoir et se vouloir artisan a complètement renouvelé le goût de notre temps par ses étoffes, ses tapisseries, ses céramiques, ses livres illustrés, tous ces métiers auxquels il s'est appliqué et où il a excellé. Et en cela il s'est égalé à ces maîtres du XVIIIe siècle qui pouvaient tout aussi bien décorer une bannière de procession ou bien une chaise à porteur que produire un chef d'œuvre de peintre ».

C'est à cet aspect essentiel de l'art de Dufy que l'exposition vençoise rend aujourd'hui hommage. Peintre et décorateur, Dufy fut l'un et l'autre. Et l'œuvre décorative entraina avec elle la peinture qui va *s'imprimer* à son tour dans la décoration comme le montre ici, Dora Perez Tibi, la spécialiste du peintre. Tout l'art de Dufy tient dans cette réciprocité. Lorsqu'il réalise ses premiers bois gravés en 1907 pour illustrer les *Friperies* de Fernand Fleuret, il n'est pas seul parmis les fauves à s'intéresser aux arts appliqués. Tous cette année là se sont rendus à l'invitation d'André Methey pour réaliser des céramiques. L'œuvre d'art cherche alors à reconquérir dans les techniques traditionnelles une utilité et une dignité que le public du salon lui refuse. La gravure est de celles-là. Matisse et Derain y font également appel à l'exemple des bois expressionnistes. Mais c'est Dufy qui lui donnera sa plus grande fortune artistique. Alors que l'œuvre

impressionniste et fauve est celle d'un honnête compagnon de Braque, Marinot ou Friesz, Dufy graveur se révèle aussitôt un ornemaniste de génie. Nous sommes en 1910. De retour d'un voyage à Munich (en compagnie de l'élève préféré de Matisse Hans Purrmann et de Friesz) où il a prit la mesure du renouveau décoratif outre-Rhin il grave de petites vignettes. Activité mineure et archaïsante, la gravure sur bois opère une sorte de régression délibérée vers un moyen âge aux thèmes traditionnels (l'Amour, la Danse, la Pêche). C'est pourtant dans ces planches de dimensions étroites que l'œuvre originale va prendre forme. Avec une maîtrise immédiate de la page Dufy sature la gravure de signes serrés et répétitifs : feuillages de la *Chasse*, vaguelettes de la *Pêche*. Une œuvre commence là. Avec ses surfaces négatives et son éclairage soutenu. Dufy représente moins des objets qu'il ne crée un tissu de signes lumineux au tressage extraordinairement dense. Les gravures qui accompagneront *Le Bestiaire* d'Apollinaire en 1910 seront naturellement saturées de figures négatives, le dessin en réserve échangeant ses motifs avec les intervalles de la forme. Et jamais comme le relève Raymond Cogniat « dans cette redécouverte Raoul Dufy nous donne l'impression du pastiche ». L'exemple des xylographies de Gauguin, de Vallotton et des expressionnistes lui est sans doute familier. Mais Dufy ne s'y attarde pas. La gravure sur bois lui a donné la matière qui faisait défaut à ses recherches antérieures et l'intensité voulue. Celle-là même qui recouvre désormais ses peintures de figures mêlées au fond en un chatoiement d'étoffes. Jusqu'alors l'espace du tableau multipliait les angles de vue et les combinaisons de couleurs. Après l'épisode du *Bestiaire* le graveur leur a donné son plan et sa consistance picturale. Non pas seulement parce que la figure se serait simplifiée (comme *La dame en rose* 1908) mais parce qu'elle s'identifie désormais à toute sa surface. « Dites-vous bien, confiera Dufy à Raymond Cogniat, que dans ma peinture il n'y a ni sol ni lointain ni ciel : il y a des couleurs dont les rapports créent l'espace et c'est tout » Cette religion de la surface Dufy la partagait avec Matisse qui en 1910 en avait fait l'élément essentiel de *La danse* I et II .
Dufy l'a transposé alors non dans la grande décoration mais dans l'impression « à la planche ». Après avoir réalisé les en-têtes des papiers à lettre de Paul Poiret il exécute pour le couturier ses premiers imprimés à la Petite Usine. Les gravures du *Bestiaire* sont encore présentes à son esprit . Elles forment la base des tentures et des tissus aux larges bordures à « mille fleurs ». Savoureuse variation sur le thème de la chasse où les plaisirs de la musique. Dufy est déjà tout entier dans cette recréation des *menus plaisirs* du couturier, peintre-musicien ornant ses tentures de lettres ouvragées à l'irrégularité drôlatique d'un dessin d'aventure. Lorsqu'il passe contrat avec la firme Atuyer-Bianchini-Férier en 1912 les premiers essais de la Petite Usine sont déjà loin. Dufy n'est plus l'apprenti inspiré de la *Ber-*

gère mais un ornemaniste à part entière. *Peintre de toile* il expérimente la même rêverie lumineuse que dans ses gravures. Avant d'être un agencement de motifs colorés le tissu est une certaine intensité lumineuse, un bouillonnement clair de motifs. Dans une lettre à André Lhote de 1943 citée par Jacques Lassaigne il écrit : « Vous me parlez de ma lutte pour la couleur ; oui, c'est ma vie, mais je voudrais être bien compris et pour être tout à fait satisfait, je voudrais qu'on dise ma lutte pour la lumière qui est l'âme de la couleur. Sans lumière, la couleur est sans vie. Ma recherche a été précisément de trouver un ordre de la couleur, de la couleur matérielle de nos tubes qui leur fait engendrer la lumière. Sans la lumière les formes ne vivent pas car leurs couleurs ne les désignent pas sufisamment. Nous percevons d'abord la lumière ensuite la couleur ». Les couleurs « rongeantes » des tissus pour Poiret et pour Bianchini-Férier remplissent cette fonction : faire moins tache sur le tissu que *moire chromatique*, fourrure d'images entremêlées, châles lumineux. On pense ici au rideau flottant des rêveries du narrateur dans *A la recherche du temps perdu* qui se confond avec l'idée du manteau du Prince de Foix offert par Saint Loup, dont Proust dit ailleurs qu'il figurait un matin. Ou bien encore au dessin d'un mur éclairé : « avec une ténuité dans la délinéation des moindres détails qui semblait trahir une conscience appliquée, une satisfaction d'artiste et avec un tel relief, un tel velours dans le repos de ces masses sombres et heureuses qu'en vérité ces reflets larges et feuillus qui reposaient sur ce lac de soleil semblaient savoir qu'ils étaient des gages de calme et de bonheur. » Qu'ils parviennent à faire passer dans cette continuité de motifs imbriqués (comme la robe intitulée *Les régates* réalisée pour Poiret en 1925) le papillotement d'une roseraie et Dufy a gagné son pari : faire qu'un tissu, une tapisserie ou une céramique opèrent comme un des modes d'apparition d'une lumière éparpillée dans l'épaisseur transparente du matériau. Certaines étoffes qui arborent des teintes mordorées comme les crêpes de soie des années 20 laissent apercevoir une sorte de lumière latente, grainée dans le noir et l'or des tentures de cérémonie. D'autres privilégient au contraire le rose ou le vert léger pour des jupes éclatantes. Mais comme un leitmotiv, depuis les premiers bois, c'est souvent le noir qui crée chez Dufy la lumière du motif. Il tire sa beauté particulière d'un équilibre entre le dessin négatif qui parcourt le tissu et la splendeur de ses fonds. Le noir apparaît alors jusque dans les dernières œuvres comme le lieu d'une véritable annonciation. L'équivalent de cet éblouissement qui ouvre les fenêtres de l'atelier vençois sur le tissu du paysage. Plus éclatant encore, le bleu des céramiques que Dufy réalisa avec Artigas et que découvre la substance merveilleuse d'un blanc rehaussé par l'argile. Pour que cette splendeur soit complète, il est une image qui fascine tout spécialement Dufy, à cause de son immersion : c'est *La baigneuse*. La rêverie aquatique de l'auteur des vases, coupes ou jardins aux baigneuses, invite à considérer les céramiques et les tissus ainsi que le tableau comme un bain, une baie de clarté matérielle d'où le peintre extrait ses antiques figures. Peintures et arts appliqués procèdent bien d'une même plongée dans cette ampleur un peu théâtrale d'un ciel ou d'un golfe imaginaire. Il n'est pas une aquarelle, une robe, une esquisse de paravent ou un jardin qui ne suggèrent chez Dufy cette propagation, cette émanation lumineuse d'un espace à la fois plus vaste et plus palpable, plus aérien et plus caressant sans cesser de lier décorativement des figures à la *dernière mode*.

Xavier Girard,
Conservateur du Musée Matisse de Nice,
Nice, Cimiez, le 15 mai 1993.

La Citrouille, 1910, gouache.

Céramiques

1
Carreau aux poissons, 1925.

2
Carreau « nu sous un palmier », 1925.

3
Coupe Cuttoli bleue aux baigneuses, faïence, 1938.

4
Vase aux baigneuses bleu marine, vers 1925.

5
Vase aux baigneuses et coquillages.

6
Carreau baigneuse, 1925.

7
Vase aux poissons bleu turquoise, 1925.

8
Vase aux baigneuses, 1925.

9
Vase aux baigneuses roses sur fond noir.

10
Vase aux baigneuses noires et roses.

11
Vase aux épis de blé et grappes de raisin, 1924.

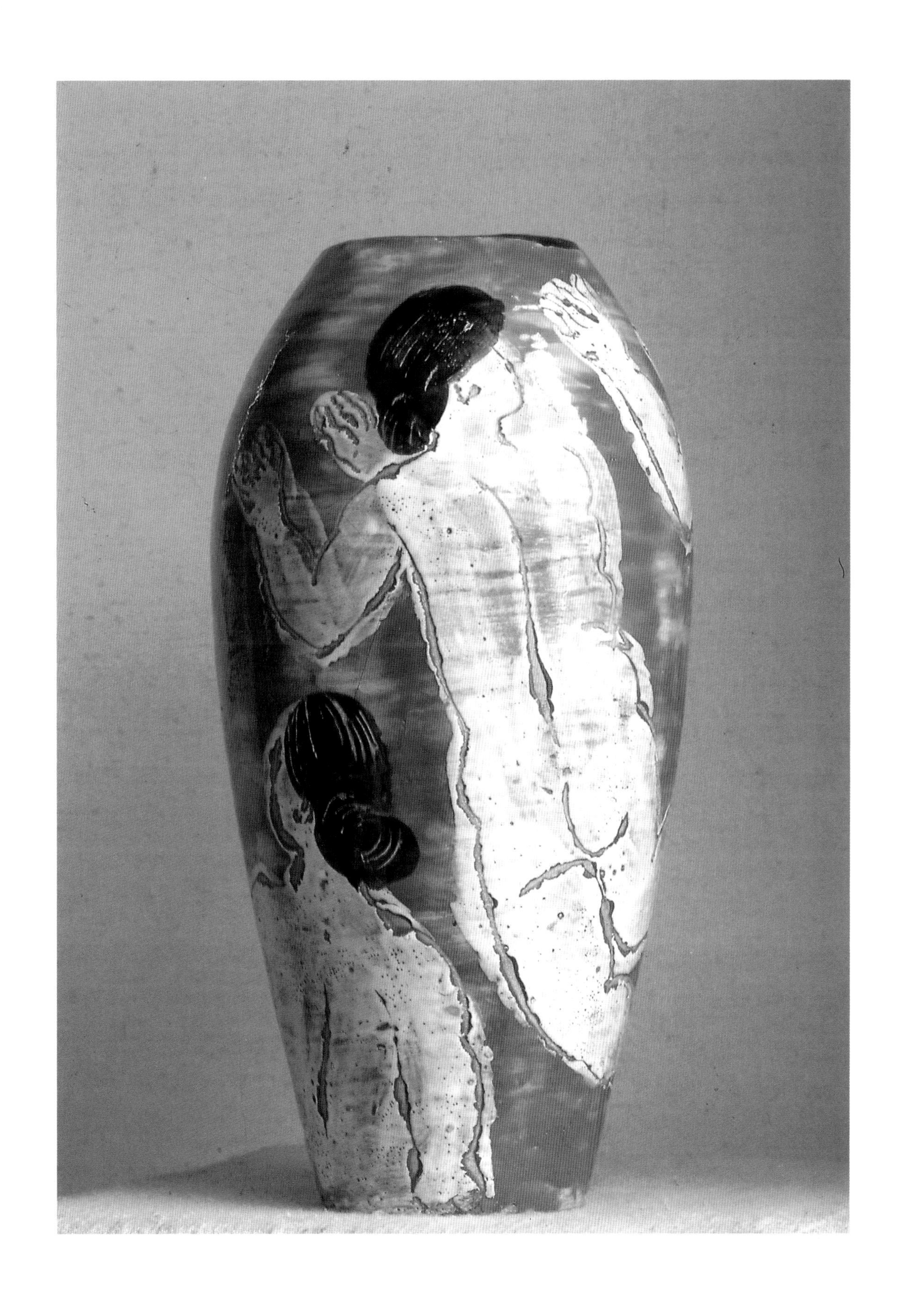

12
Vase aux baigneuses, vers 1945-1949.

13
Vase Ambroise Vollard, céramique, 1930.

14
Vase aux poissons sur fond bleu.

15
Jardin Baigneuses et Amphitrite, vers 1924.

16
Jardin Baigneuses et Amphitrite, détail, vers 1925-1928.

17
Jardin aux poissons, 1925.

18
Jardin aux baigneuses bleues, vers 1925-1928.

19
Vase aux coquilles, 1927-1930.

20
Vase aux papillons, 1938.

21
Carreau « Pour Émilienne », 1926.

22
Carreau à la naïade, 1924.

23
Carreau aux poissons du zodiaque.

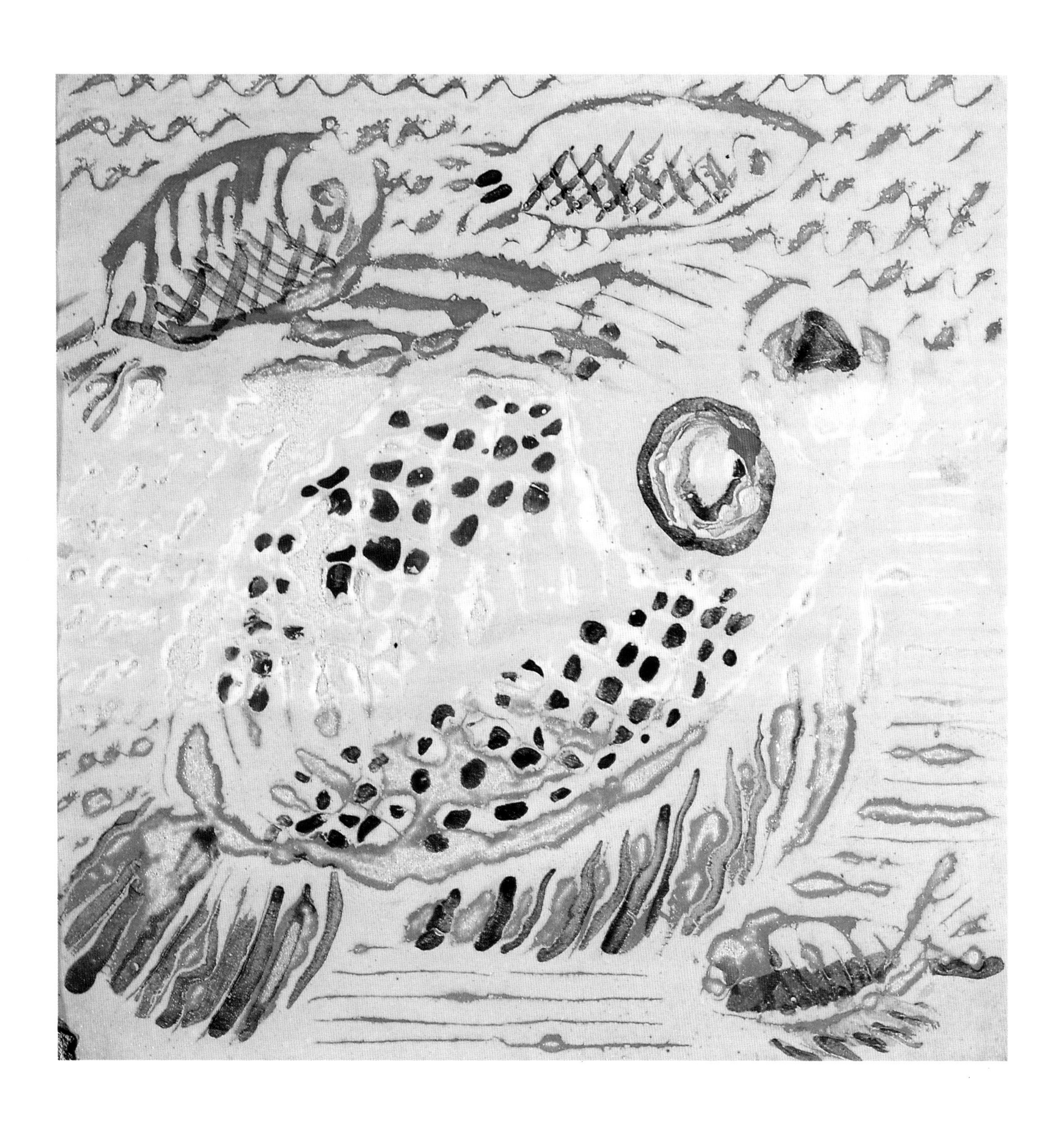

24
Carreau aux poissons de roche.

25
Portrait de Madame Dufy.

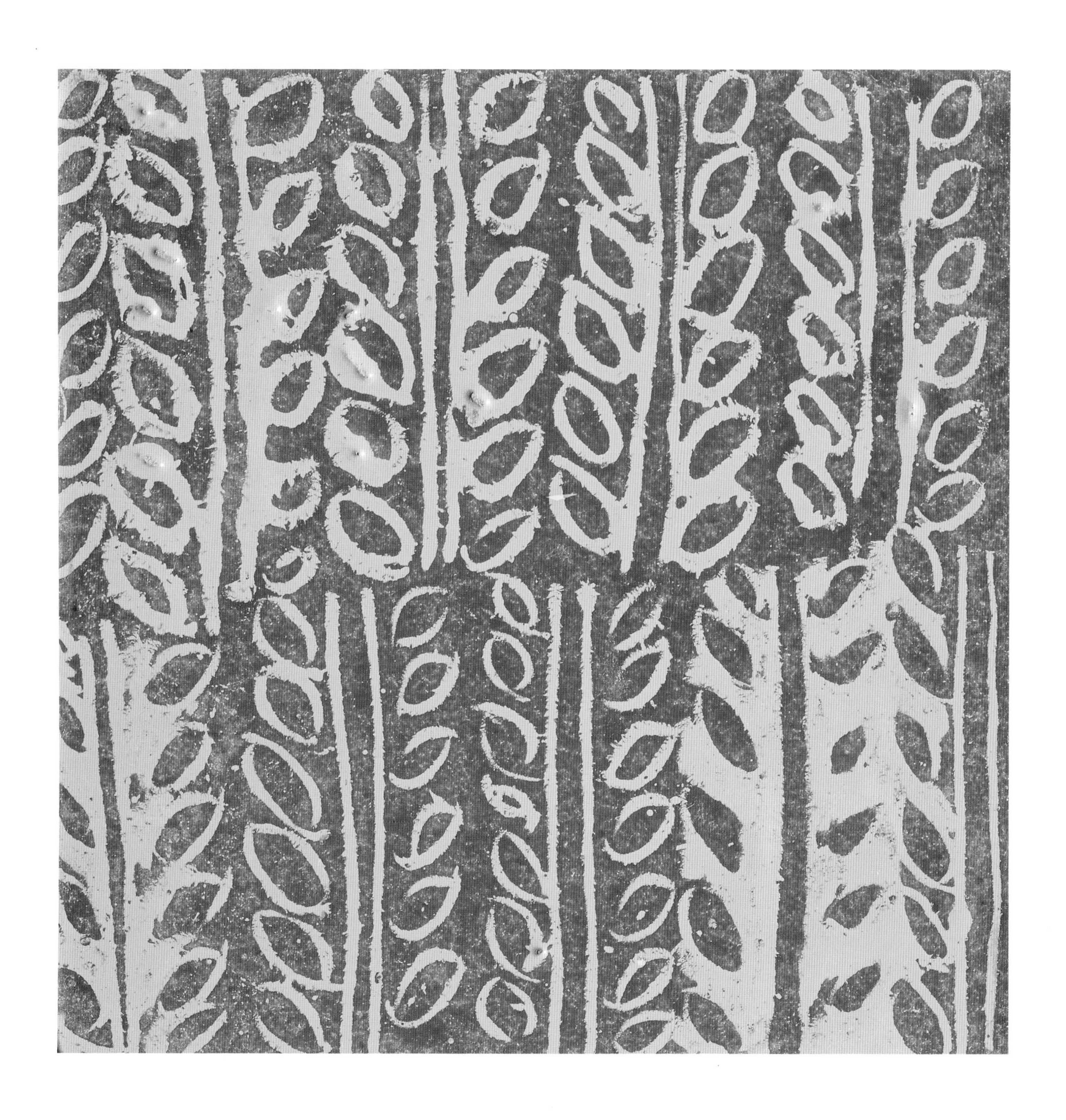

26
Carreau aux épis.

Tapisseries

27
Collioure, Tapisserie d'Aubusson, 1941.

28
Étude pour la tapisserie « Le Bel Été », 1941, aquarelle.
29
Le Bel Été, aquarelle, 1940-1941.
30
Le Bel Été, Tapisserie d'Aubusson, 1941 (pages 60 et 61).

1941
Raoul Dufy

31 Les mannequins de Poiret aux courses, tenture, 1925.

Tissus

32
Les violons, gouache pour tissu Bianchini-Férier, 1914-1920.

33
Feuilles noires sur fond blanc, gouache sur papier.

34
Composition aux Chrysanthèmes sur fond noir, gouache sur papier.

35
Le bouquet, gouache sur papier.

36
Pois blancs sur fond noir, gouache sur papier.

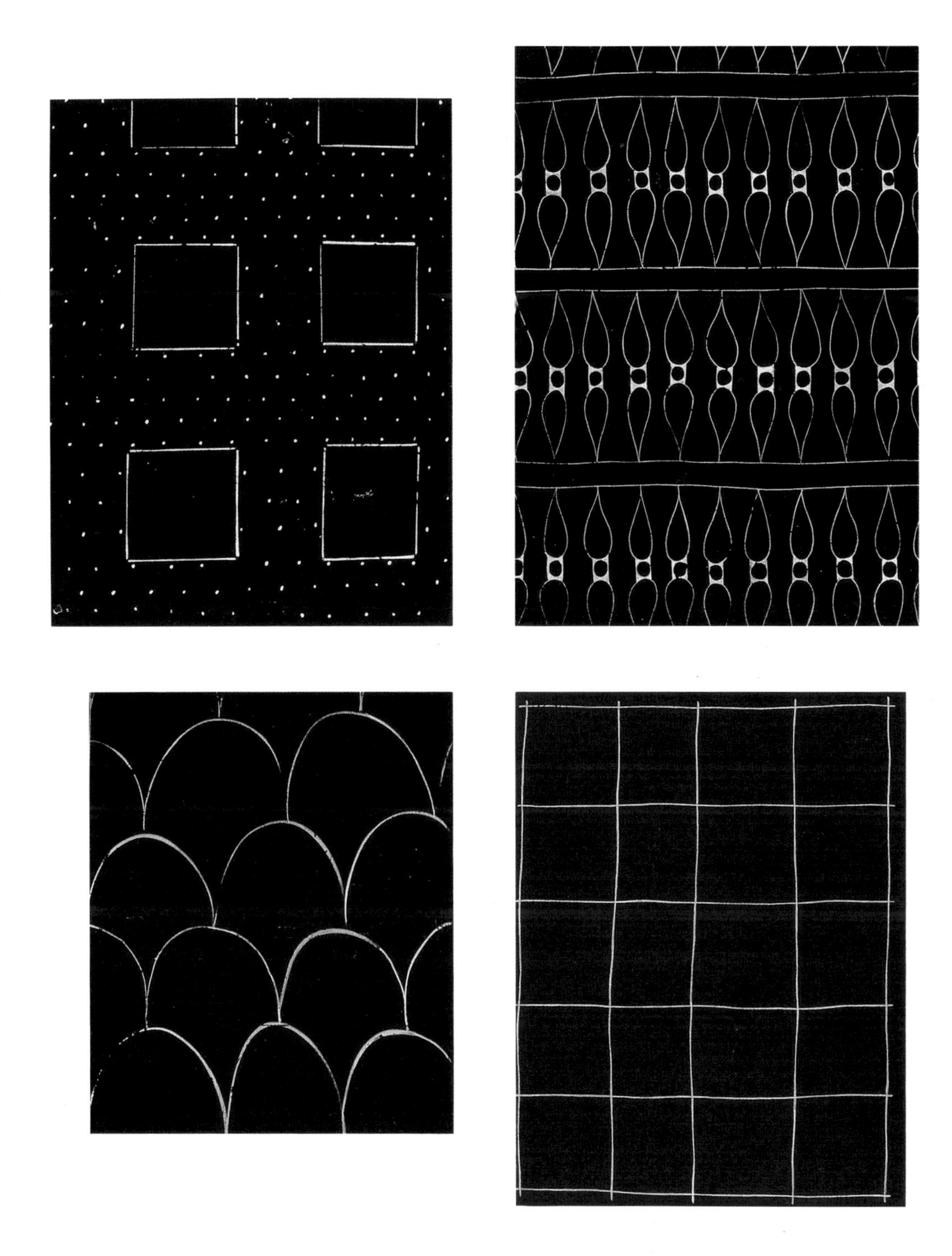

37
Carrés et points blancs sur fond noir, gouache sur papier.
38
Frise de plumes blanches et noires, gouache sur papier.
39
Écailles noires et blanches, gouache sur papier.
40
Damiers sur fond bleu, gouache sur papier.

41
Feuillages noirs et blancs, gouache sur papier.

42
Le tennis, vers 1920-1925.

43
La Perdrix, gouache sur papier.
44
Fleurs rouges et bleues sur fond marron, gouache sur papier.

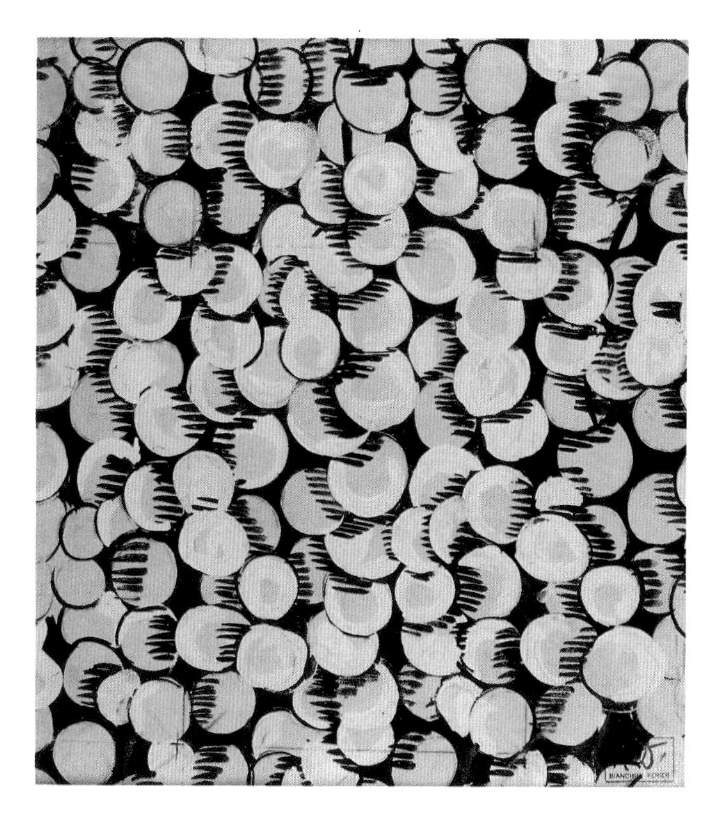

45
Parterre de fleurs et de feuilles noires, gouache sur papier.
46
Cercles beiges sur fond noir, gouache sur papier.

47
Cavaliers, Amazone et Élégantes, gouache sur papier, 1922-1924.

48
La pêche, 1919.

49
Feuillages et roses en pointillé, gouache sur papier.
50
Roses sur stries noires, gouache sur papier.

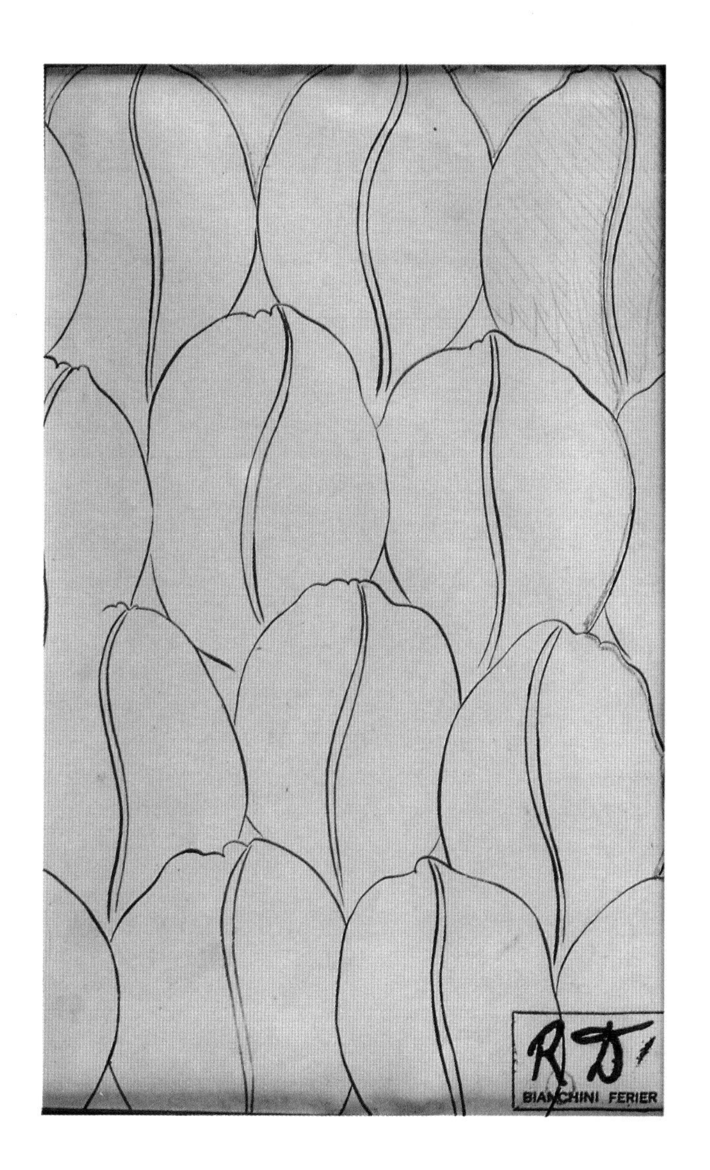

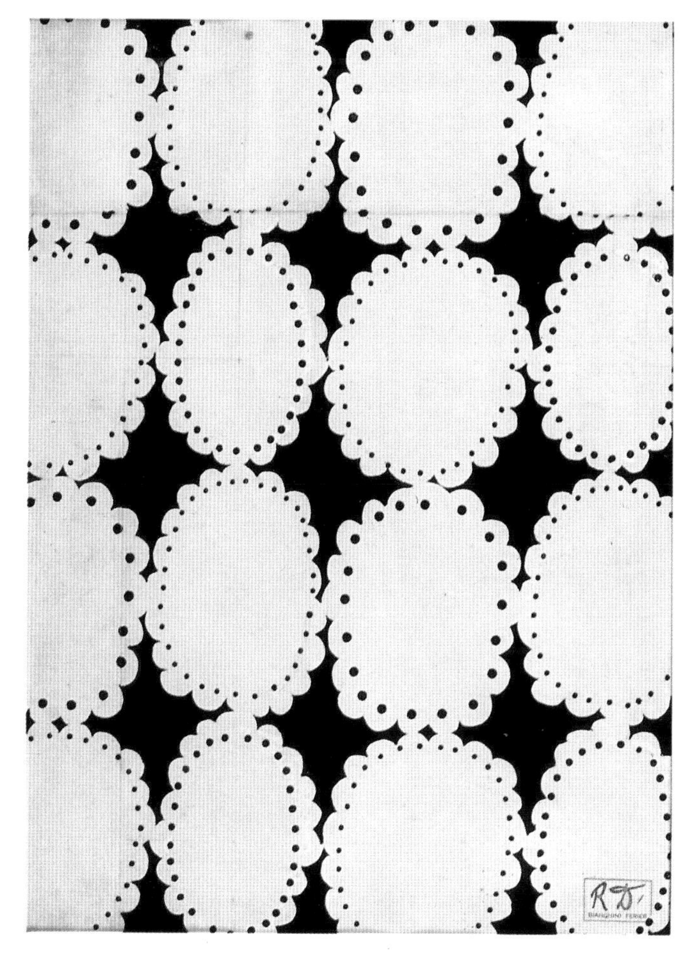

51
Feuilles blanches, gouache sur papier.
52
Napperons blancs, gouache sur papier.

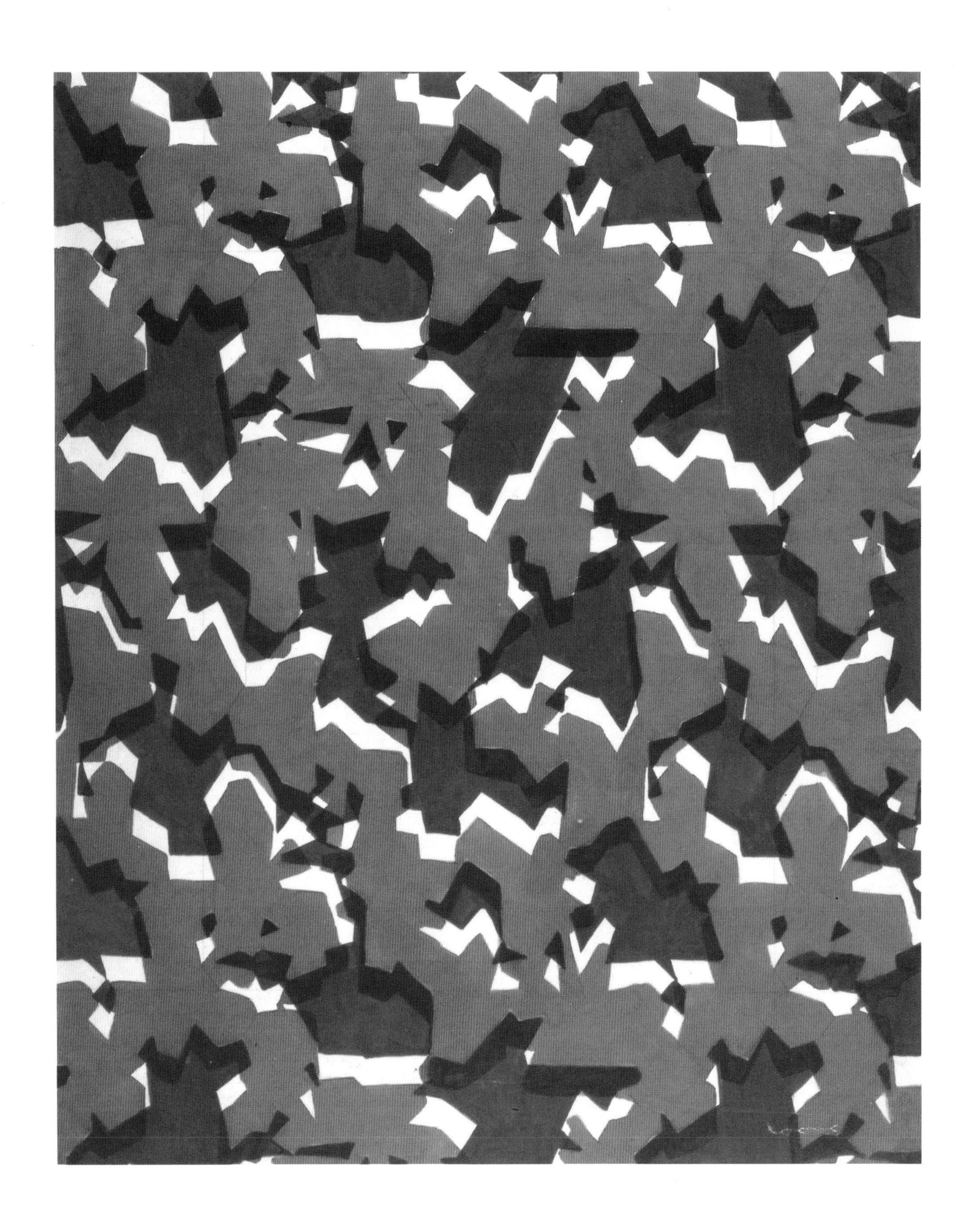

53
Formes en zigzag, rouges et bleues sur fond blanc, 1918-1919.

54
Formes syncopées, rouges, bleues, vertes et jaunes, 1918-1919.

55
Frise de fleurs en noir (empreinte).
56
Frise de fleurs en noir (empreinte).

57
Feuilles rouges et bleues, gouache sur papier.

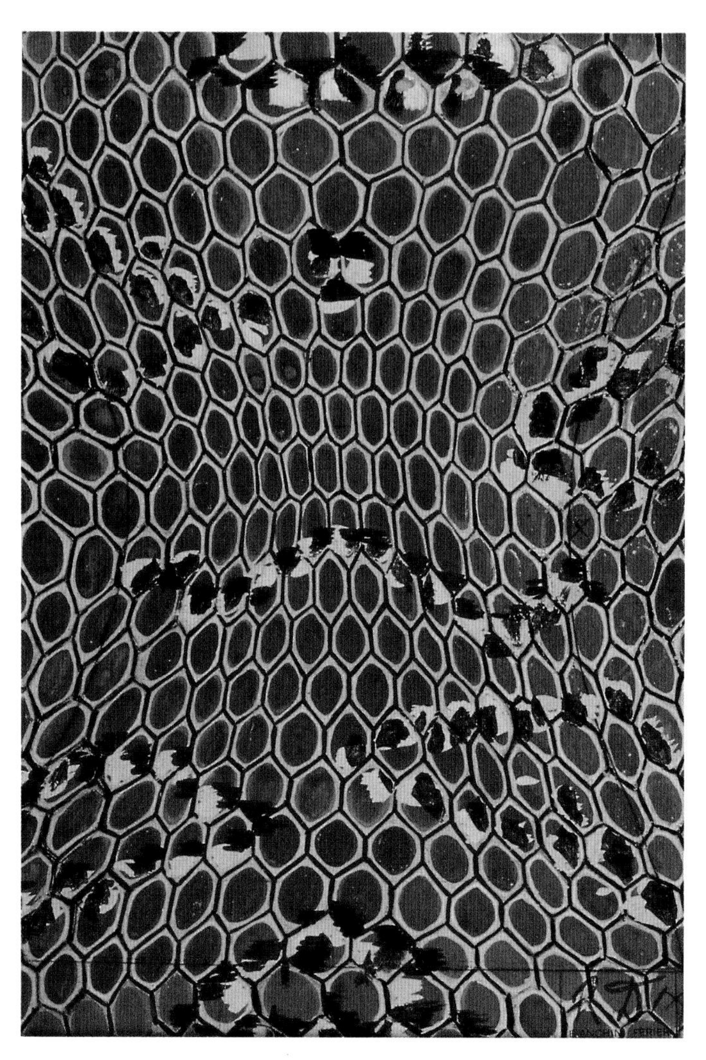

58
Les Tortues, gouache.
59
Peau de serpent.

60
Cinq bouquets sur fond beige, gouache sur papier.
61
Fleurs noires et dorées sur fond blanc, gouache sur papier.

62
Feuilles grises, gouache sur papier.

63
Feuillages noirs, gouache sur papier.

64
Petits carrés et stries sur fond noir, gouache sur papier.

65
Idéogrammes, gouache sur papier.

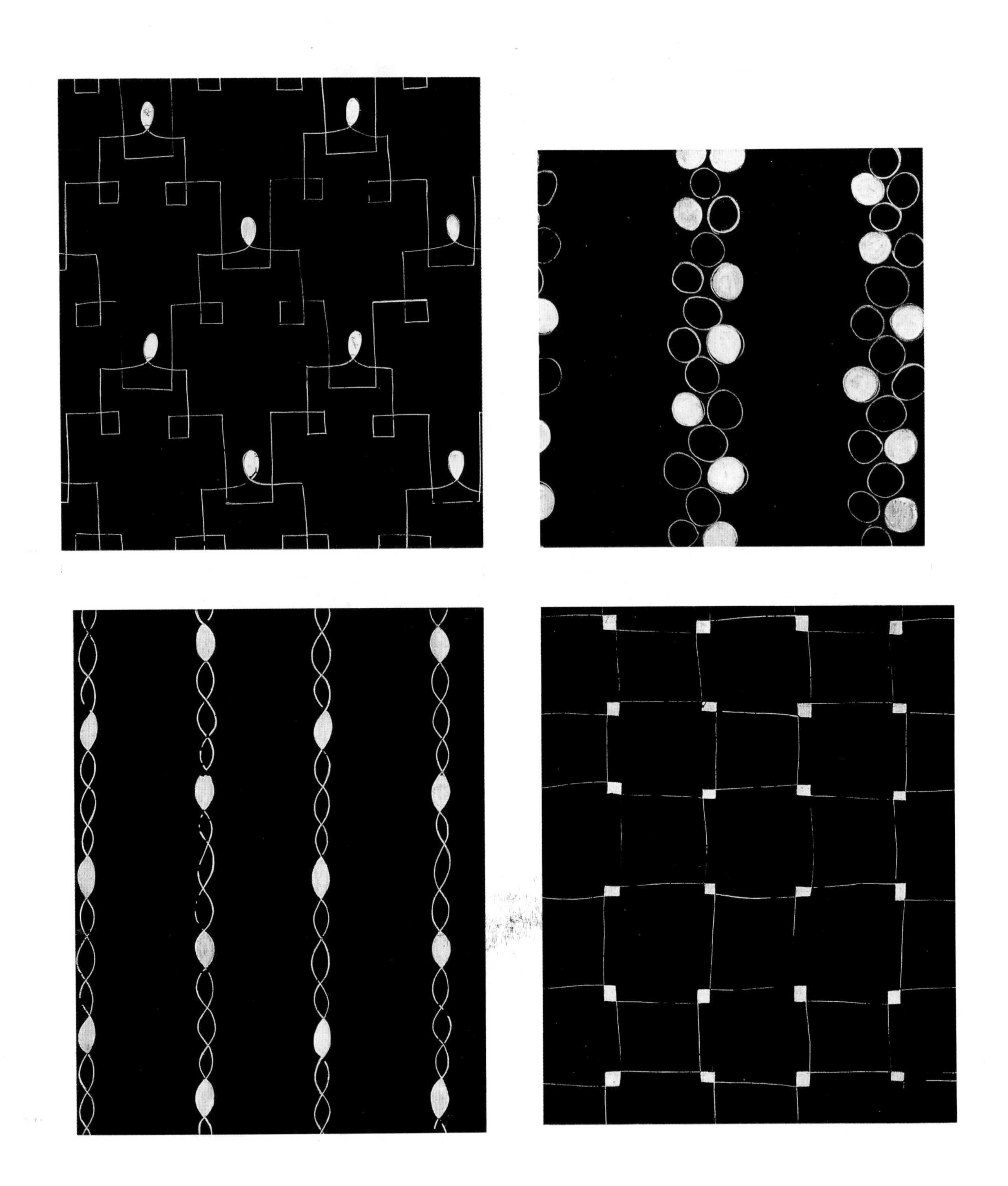

66
Composition noire et blanche.
67
Kyrielles de perles noires et blanches, gouache sur papier.
68
Chaînes blanches sur fond noir, gouache sur papier.
69
Composition aux carrés blancs sur fond noir, gouache sur papier.

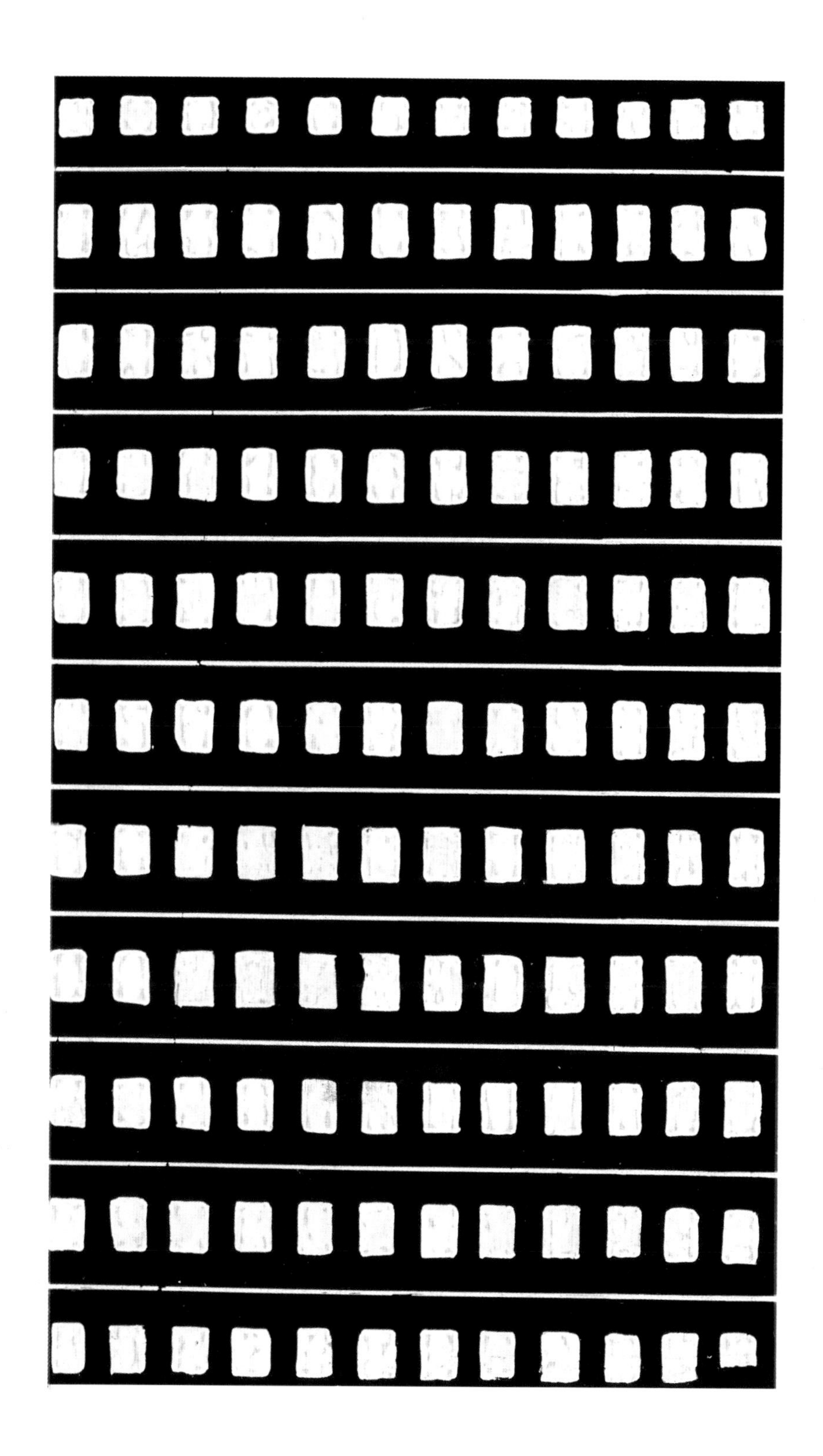

70
Carrés blancs sur fond noir, gouache sur papier.

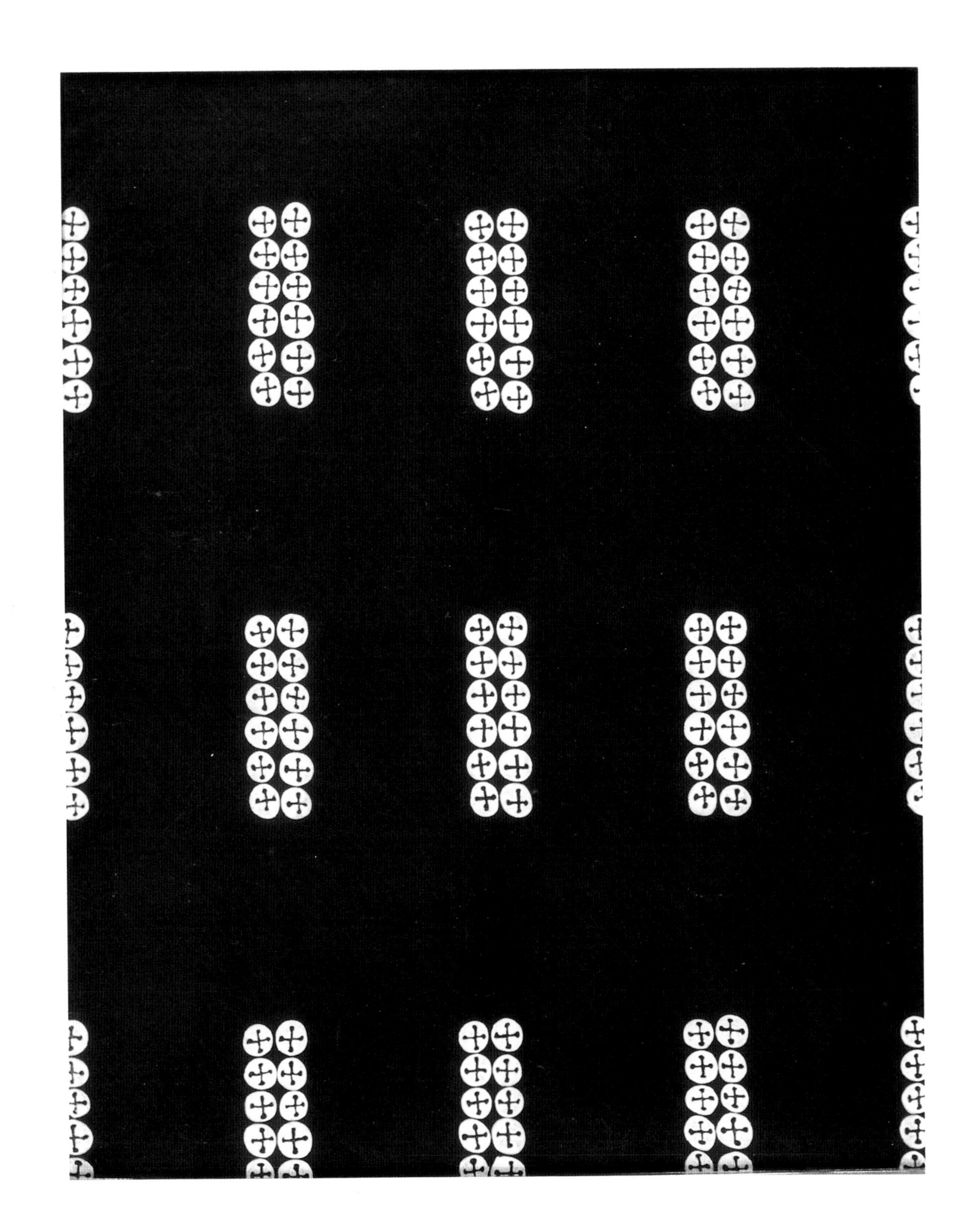

71
Boutons blancs sur fond bleu, gouache sur papier.

72
Composition noire et blanche.
73
Composition aux rectangles noirs, gouache sur papier.
74
Carrés et ovales sur fond noir, gouache sur papier.
75
Losanges et carrés blancs sur fond noir, gouache sur papier.

76
Les monuments de Paris, 1930.

77
Pégase, Damas, 1920.

78
La partie tennis, toile imprimée de Tournon, vers 1920.

79
La Chasse, toile imprimée de Tournon, 1920.

80
Fruits d'Europe, toile imprimée de Tournon, 1920.

81
L'Afrique, toile imprimée de Tournon, 1920.

82
La Moisson, toile imprimée de Tournon, 1920.

Peintures

83
L'Atelier de Vence.

84
L'Atelier de Vence.

85
Les Savants (Étude pour la décoration de la Singerie du Jardin des Plantes à Paris), 1938.

86
Les collines de Vence, 1919.

87
Le Baou de Saint-Jeannet, 1929.
88
Paysage de Collioure, 1941 (pages 110 et 111).

Raoul Dufy
Collioure 1941

89
Les Anémones, 1953.

90
Bouquet de roses, 1941.

91
Bouquet de roses.

92
La Salle à manger du Docteur Viard, maquette.

93
La Martiniquaise, 1931.

94
Portrait de Madame Raoul Dufy, 1930.

95
Étude pour modèle hindou, atelier, 1928.
96
Étude pour Anmaviti Pontry, 1930.

97
Le couscous chez le Pacha de Marrakesh, 1926, aquarelle et gouache.

Arts Graphiques

98
Le bœuf sur le toit, 1920.

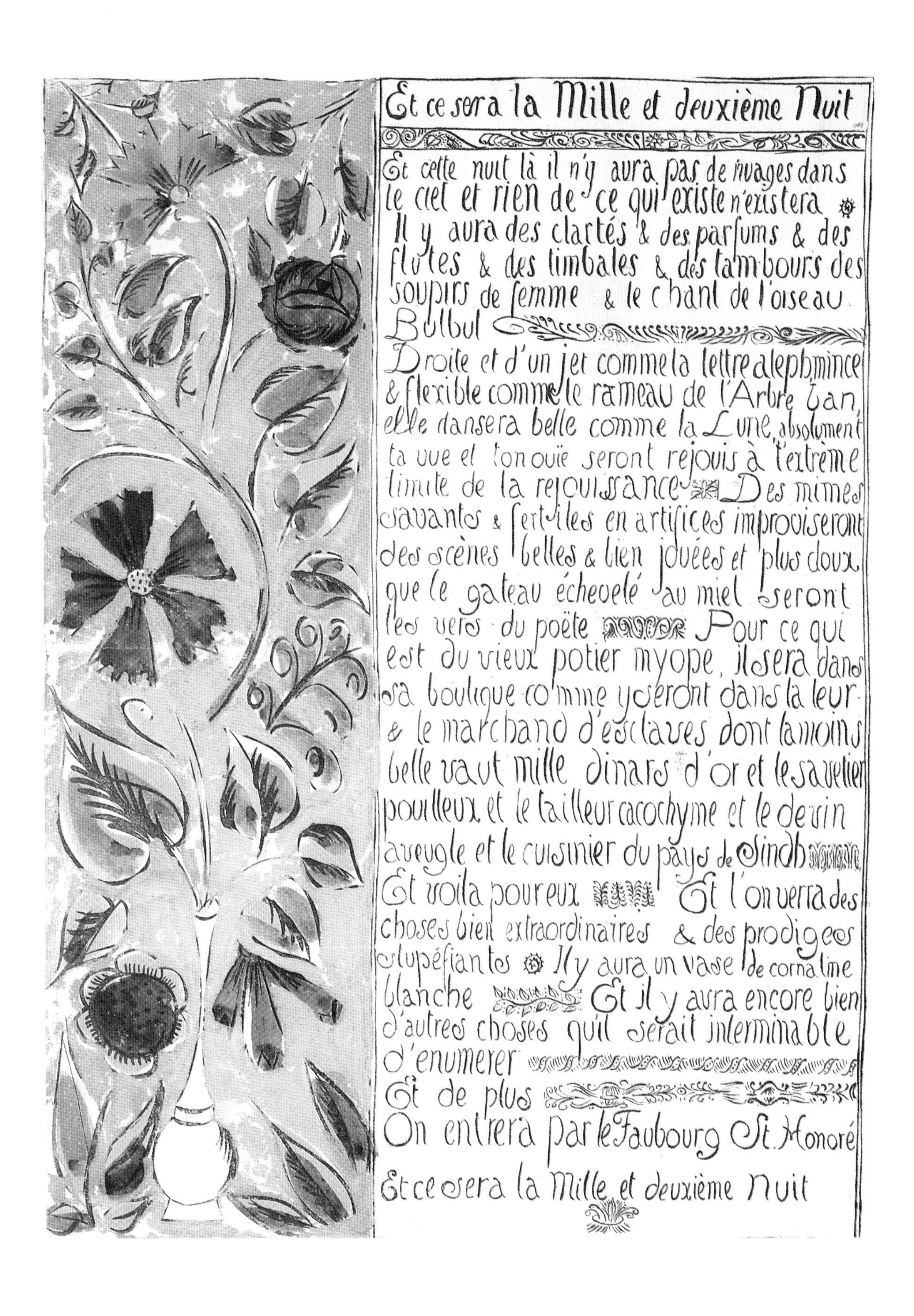

Et ce sera la Mille et deuxième Nuit

Et cette nuit là il n'y aura pas de nuages dans
le ciel et rien de ce qui existe n'existera
Il y aura des clartés & des parfums & des
flûtes & des timbales & des tambours des
soupirs de femme & le chant de l'oiseau
Bulbul

Droite et d'un jet comme la lettre aleph, mince
& flexible comme le rameau de l'Arbre Ban,
elle dansera belle comme la Lune, absolument
ta vue et ton ouïe seront rejouis à l'extrême
limite de la rejouissance Des mimes
savants & fertiles en artifices improviseront
des scènes belles & bien jouées et plus doux
que le gateau échevelé au miel seront
les vers du poëte Pour ce qui
est du vieux potier myope, il sera dans
sa boutique comme y seront dans la leur
& le marchand d'esclaves dont la moins
belle vaut mille dinars d'or et le savetier
pouilleux et le tailleur cacochyme et le devin
aveugle et le cuisinier du pays de Sindh
Et voila pour eux Et l'on verra des
choses bien extraordinaires & des prodiges
stupéfiants Il y aura un vase de cornaline
blanche Et il y aura encore bien
d'autres choses qu'il serait interminable
d'enumerer

Et de plus
On entrera par le Faubourg St. Honoré

Et ce sera la Mille et deuxième Nuit

99
Carton d'invitation pour la fête de la Mille et Deuxième nuit, 1911.

100
Lithographie pour la Fée Électricité.

101
Lithographie pour la Fée Électricité.

102
Lithographie pour la Fée Électricité.

103
Lithographie pour la Fée Électricité.

104
Lithographie pour la Fée Électricité.

105
Lithographie pour la Fée Électricité.

106
Lithographie pour la Fée Électricité.

107
Lithographie pour la Fée Électricité.

108
Lithographie pour la Fée Électricité.

109
Lithographie pour la Fée Électricité.

La Mode

110
Robe de chambre de Poiret avec tissu bagatelle de Dufy, 1925.

111
Robe de Poiret, Les Régates, 1925.

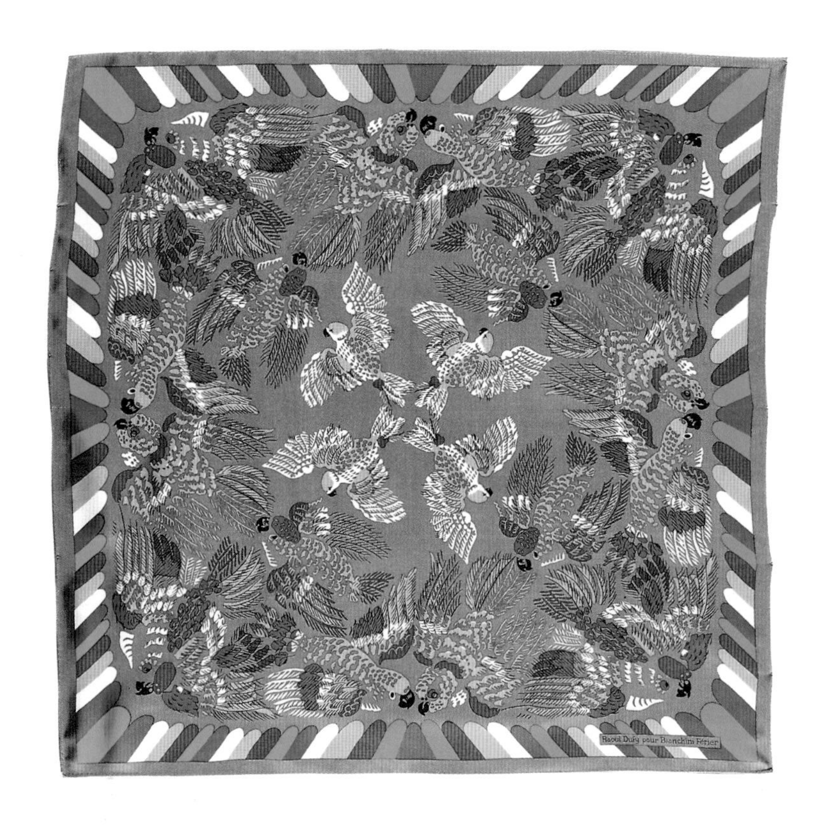

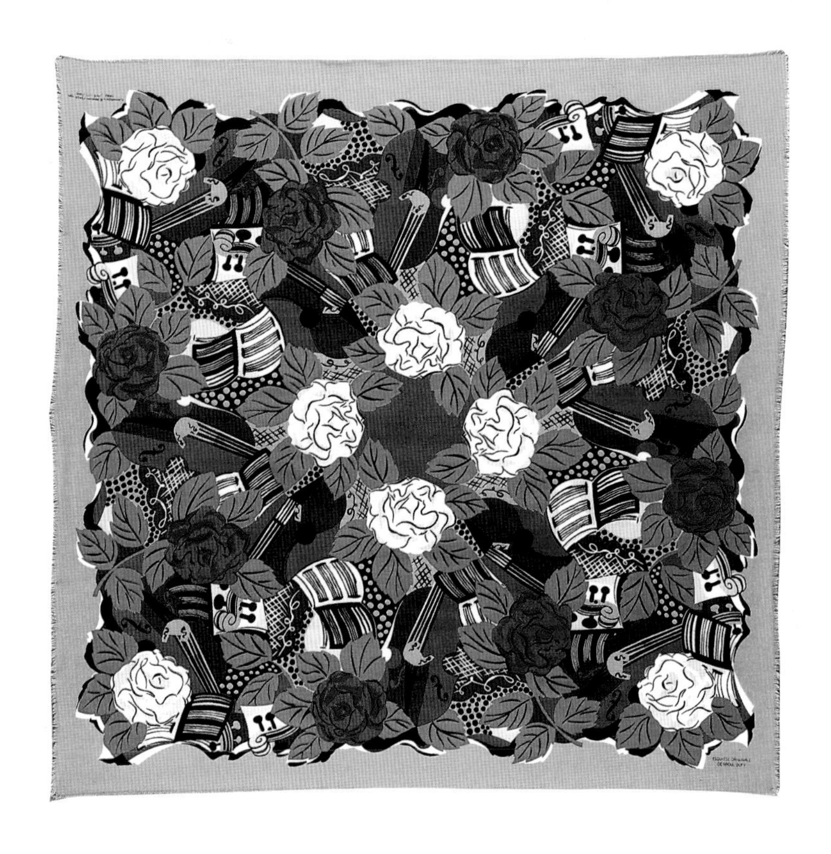

112
Foulard aux perroquets.
113
Foulard aux violons.

114
Foulard aux papillons.

Robes pour

115
Robes pour l'été, 1920.

Raoul Dufy dans son atelier de Perpignan, 1946.

Catalogue des œuvres illustrées

1. Carreau aux poissons, 1925.
Émail sur terre cuite.
13,8 cm × 13,8 cm.
Signé L. Artigas, Raoul Dufy.
Collection P. Gargallo Anguera.

2. Carreau « Nu sous un palmier », 1925.
Émail sur terre cuite.
13,8 × 13,8 cm.
Collection particulière.

3. Coupe aux baigneuses bleues, 1938.
20,5 × 25 cm.
Paris, Musée National d'Art Moderne.
Dépôt : Musée des Arts Décoratifs.

4. Vase aux baigneuses bleu marine, vers 1925.
Hauteur 22,5 cm.
Signée Raoul DUFY en bleu et empreinte digitale même couleur LLA, pour Artigas + empreinte digitale en rouge.
Collection particulière.

5. Vase aux baigneuses et coquillages.
Hauteur 22,5 cm.
Signée Raoul DUFY en bleu et empreinte digitale même couleur.
Signée LLA pour Artigas + empreinte digital en rouge.
Collection particulière.

6. Carreau Baigneuse, 1925.
Émail sur terre cuite.
13,8 cm × 13,8 cm.
Pièce unique.
Collection particulière.

7. Vase aux poissons bleu turquoise.
Hauteur 40 cm.
Signé L.L. Artigas, 1925.
Collection particulière.

8. Vase aux baigneuses, 1925.
Céramique (Émail sur terre cuite)
40 cm. Pièce unique.
Collection particulière.

9. Vase Baigneuses roses sur fond noir.
Céramique.
Hauteur : 22,5 cm.

10. Vase aux baigneuses noires et roses.
Céramique.
Hauteur : 22,5 cm.
Signé Raoul DUFY en bleu et empreinte digitale même couleur.
Signé LLA (pour Artigas) et empreinte digitale en rouge.
Collection particulière.

11. Vase aux épis de blés et grappes de raisin, 1924.
Céramique (Émail sur terre cuite). Signé et daté LL. Artigas et Raoul DUFY.
Hauteur : 40 cm. Col. : 13,5 cm. Base : 20 cm.
Collection particulière.

12. Vase aux Baigneuses, vers 1945-1949.
Collection particulière.
(Hors Exposition).

13. Vase vollard, 1930.
Céramique.
Signé Raoul DUFY et L.L. Artigas.
Hauteur : 42 cm.
Paris, Musée National d'Art Moderne.
Dépôt : Musée des Arts décoratifs.

14. Vase aux poissons sur fond bleu.
22,5 cm.
Signé Raoul DUFY et empreinte digitale même couleur.
L.L.A. (pour Artigas) + empreinte digitale en rouge.
Collection particulière.

15. Jardin Baigneuses et Amphitrite, vers 1924.
28,5 × 28,5 cm.
Collection M. LAFAILLE.

16. Jardin Baigneuses et Amphitrite, vers 1924.
Détail.

17. Jardin aux poissons, 1925.
(Hors exposition).
Pièce unique.
Collection particulière.

18. Jardin aux Baigneuses vers 1925-1928.
25 × 25 cm.
Collection particulière.
(Hors exposition).

19. Vase aux coquilles, 1927-1930.
Céramique.
Paris, Musée National d'Art Moderne.
Dépôt, Musée des Arts décoratifs.

20. Vase aux papillons, 1938.
36 × 21 cm.
Faïence. Paris, Musée National d'Art Moderne.
Dépôt, Musée des Arts décoratifs.

21. Carreau « A Émilienne », 1926.
14 × 14 cm.
Signé Raoul DUFY et L.L. Artigas.
Paris, Musée National d'Art Moderne.
Dépôt, Musée des Arts décoratifs.

22. Carreau à la naïade, 1924.
Céramique.
13,7 × 13,7 cm.
Paris, Musée National d'Art Moderne.
Dépôt, Musée des Arts décoratifs.

23. Carreau aux poissons du zodiaque.
Faïence vernissé (13,4 × 13,6 cm).
Paris, Musée National d'Art Moderne.
Dépôt, Musée des Arts décoratifs.

24. Carreau aux poissons de roche.
Faïence vernissé (13,4 × 13,8 cm).
Paris, Musée National d'Art Moderne.
Dépôt, Musée des Arts Décoratifs.

25. Portrait de Madame Dufy.
Céramique 1924.
Paris, Musée National d'Art Moderne.
Dépôt, Musée des Arts Décoratifs.

26. Carreau aux épis.
Céramique.
Paris, Musée National d'Art Moderne.
Dépôt, Musée des Arts Décoratifs.

27. Collioure, 1941.
Tapisserie d'Aubusson.
Œuvre unique.
259 × 150 cm.
Collection particulière.

28. Le Bel Été.
Étude pour la tapisserie « le Bel Été », 1941.
Aquarelle.
Collection particulière.

29. Le Bel Été, 1940-1941.
49 × 89 cm.
Aquarelle.
Collection particulière, Paris.

30. Le Bel Été, 1941.
Tapisserie d'Aubusson.
246 × 429 cm.
Musée des Beaux-Arts André Malraux, Le Havre.

31. Les mannequins de Poiret aux courses, 1925.
Tenture.
280 × 480 cm.
Collection particulière.

32. Les Violons, 1914-1920.
Gouache pour un tissu Bianchini-Férier.
61 × 45,5 cm.
(Hors exposition).

33. Feuilles noires sur fond blanc.
Gouache sur papier.
57,5 × 46,5 cm.
Collection particulière.
(Hors exposition).

34. Composition aux chrysanthèmes sur fond noir.
Gouache sur papier.
53 × 40 cm.
Achat de la ville de Nice, 1986.
Prêt de la Galerie-Musée Raoul DUFY.
Collection du Musée des Beaux-Arts de Nice.

35. Le Bouquet.
Gouache sur papier.
65 × 50 cm.
Collection particulière.
(Hors exposition).

36. Pois blancs sur fond noir.
Gouache sur papier.
64 × 48 cm.
Collection particulière.

37. Carrés et points blancs sur fond noir.
Gouache sur papier.
60 ×48 cm.
Collection particulière.

38. Frise de plumes blanches et noires.
Gouache sur papier.
58 × 42 cm.
Collection particulière.

39. Écailles en noires et blanches.
Gouache sur papier.
30 × 25,5 cm.
Collection particulière.

40. Damiers sur fond bleu.
Gouache sur papier.
60,5 × 47,5 cm.
Collection particulière.

41. Feuillages noirs et blancs.
Gouache sur papier.
45 × 33 cm.
Collection particulière.

42. Le Tennis, vers 1920-1925.
Encre de Chine et gouache pour un tissu.
Bianchini-Férier.
42 × 38 cm.
BF 52025. (Hors exposition).

43. La Perdrix.
Gouache sur papier.
Collection particulière.
(Hors exposition).

44. Fleurs rouges et bleues sur fond marron.
Gouache sur papier.
58 × 75 cm.
Collection particulière.

45. Parterre de fleurs et de feuilles noires.
Gouache sur papier.
73 × 50 cm.
Collection particulière.

46. Cercles beiges sur fond noir.
Gouache sur papier.
52,5 × 48 cm.
Collection particulière.

47. Cavalier, Amazone et Élégantes. CA 1922-1924.
Gouache sur papier.
137 × 87 cm.
Prêt de la Galerie-Musée Raoul DUFY.
Collection du Musée des Beaux-Arts de Nice.

48. La Pêche CA 1919.
Dessin répété, Gouache sur papier.
Collection du Musée des Beaux-Arts de Nice.

49. Feuillages et roses en pointillé.
Gouache sur papier.
75 × 61 cm.
Collection particulière.

50. Roses sur stries noires.
Gouache sur papier.
62 × 58 cm.
Bianchini-Férier.
Collection particulière.

51. Feuilles blanches.
Gouache sur papier.
33,5 × 20,5 cm.
Bianchini-Férier.
Collection particulière.

52. Napperons blancs.
Gouache sur papier.
67 × 48 cm.
Bianchini-Férier.
Collection particulière.

53. Formes en zigzags, rouges et bleues sur fond blanc, 1918-1919.
Gouache et pochoir sur papier.
55,5 × 45,5 cm.
Prêt de la Galerie-Musée Raoul DUFY.
Collection du Musée des Beaux-Arts de Nice.

54. Formes syncopées, rouges, bleues, vertes et jaunes, 1918-1919.
Gouache sur papier.
58 × 45 cm.
Prêt de la Galerie-Musée Raoul DUFY.
Collection du Musée des Beaux-Arts de Nice.

55. Frise de fleurs en noir (empreinte).
25,5 × 52 cm.
Collection particulière.
(Hors exposition).

56. Frise de fleurs en noir (empreinte).
30 × 56 cm.
Collection particulière.
(Hors exposition).

57. Feuilles rouges et bleues.
Gouache sur papier.
49,5 × 18 cm.
Bianchini-Férier.
Collection particulière.

58. Les Tortues.
Gouache.
59 × 54 cm.
Bianchini-Férier (Lyon).
Collection particulière.

59. Peau de Serpent.
42,5 × 29 cm.
Collection particulière.
(Hors exposition).

60. 5 Bouquets sur fond beige.
Gouache sur papier.
63 × 48 cm.
Bianchini-Férier (Lyon).
Collection particulière.

61. Fleurs noires et dorées sur fond blanc.
Gouache sur papier.
74 × 62 cm.
Origine : Bianchini-Férier (Lyon).
Collection particulière.

62. Feuilles grises.
Gouache sur papier.
52 × 40 cm.
Origine : Bianchini-Férier (Lyon).
Collection particulière.

63. Feuillages noirs.
Gouache sur papier.
45,5 × 37 cm.
Collection particulière.

64. Petits carrés et stries sur fond noir.
Gouache sur papier.
47 × 44,5 cm.
Origine : Bianchini-Férier (Lyon).
Collection particulière.

65. Idéogrammes.
Gouache sur papier.
42 × 42 cm.
Origine : Bianchini-Férier (Lyon).
Collection particulière.

66. Composition noire et blanche.
51,5 × 48 cm.
Origine : Bianchini-Férier (Lyon).
Collection particulière.

67. Kyrielles de perles noires et blanches.
Gouache sur papier.
31 × 31,5 cm.
Origine : Bianchini-Férier (Lyon).
Collection particulière.

68. Chaînes blanches sur fond noir.
Gouache sur papier.
52 × 43 cm.
Origine : Bianchini-Férier (Lyon).
Collection particulière.

69. Composition aux carrés blancs sur fond noir.
Gouache sur papier.
55 × 45,5 cm.
Origine : Bianchini-Férier (Lyon).
Collection particulière.

70. Carrés blancs sur fond noir.
Gouache sur papier.
45 × 25 cm.
Origine : Bianchini-Férier (Lyon).
Collection particulière.

71. Boutons blancs sur fond bleu.
Gouache sur papier.
56 × 45 cm.
Origine : Bianchini-Férier (Lyon).
Collection particulière.

72. Composition noire et blanche.
51,5 × 48 cm.
Origine : Bianchini-Férier (Lyon).
Collection particulière.

73. Composition aux rectangles noirs.
Gouache sur papier.
46 × 6,5 cm.
Origine : Bianchini-Férier (Lyon).
Collection particulière.

74. Carrés et ovales blancs sur fond noir.
Gouache sur papier.
40 × 31,5 cm.
Collection particulière.

75. Losanges et carrés blancs sur fond noir.
Gouache sur papier.
64 × 52,5 cm.
Origine : Bianchini-Férier (Lyon).
Collection particulière.

76. Les Monuments de Paris, 1930.
Gouache sur papier (marouflée sur toile).
2,10 × 1,90 m.

77. Pégase : Damas, 1920.
Bianchini-Férier
0,80 × 0,75 m.
Paris, Musée des Arts de la Mode et du Textile.
(Hors exposition).

78. La partie de tennis, vers 1920.
Toile imprimée de Tournon.
1,30 × 1,20 m.
Bianchini-Férier.
Paris, Musée des Arts de la Mode et du Textile.
(Hors exposition).

79. La chasse, 1920.
Toile imprimée de Tournon.
2,20 × 1,20 m.
Paris, Musée des Arts de la Mode et du Textile.
(Hors exposition).

80. Fruits d'Europe, 1920.
Toile imprimée de Tournon.
2,33 m × 1,21 m.
Paris, Musée des Arts de la Mode et du Textile.
(Hors exposition).

81. L'Afrique, vers 1920.
Toile imprimée de Tournon.
2,30 × 1,20 m.
Paris, Musée des Arts de la Mode et du Textile.
(Hors exposition).

82. La Moisson, 1920.
Toile imprimée de Tournon.
Paris, Musée des Arts de la Mode et du Textile.
(Hors exposition).

83. L'Atelier de Vence.
84 × 69 cm.
Signé en bas et à gauche.
Collection particulière.

84. L'Atelier de Vence.
Le Havre.
Musée des Beaux-Arts André Malraux.
(Hors exposition).

85. Les Savants (Étude pour la décoration de la Singerie du Jardin des Plantes à Paris), 1938.
Huile sur toile.
68 × 140 cm.
Collection du Musée des Beaux-Arts de Nice.

86. Les Collines de Vence, 1919.
Crayon et Aquarelle.
48 × 60 cm.
Collection particulière.
(Hors exposition).

87. Le Baou de Saint-Jeannet, 1929.
Aquarelle.
49 × 63 cm.
Collection particulière.

88. Paysage de Collioure, 1941.
Aquarelle.
Collection particulière.

89. Les Anémones, 1953.
Aquarelle.
Collection particulière.
(Hors exposition).

90. Bouquets de roses, 1941.
Aquarelle.
Collection particulière.
(Hors exposition).

91. Bouquets de roses.
Aquarelle.
Collection particulière.

92. La Salle à Manger du Docteur Viard.
Maquette.
Collection particulière.

93. La Martiniquaise, 1931.
Huile sur toile.
73 × 60 cm.
Collection particulière.
(Hors exposition).

94. Portrait de Madame Raoul Dufy, 1930.
Huile sur toile.
99 × 80 cm.
Prêt de la Galerie-Musée Raoul Dufy.
Musée des Beaux-Arts de Nice.

95. Étude pour modèle hindou, atelier 1928.
Crayon sur papier légèrement gouaché, trace de crayon de couleur.
50 × 64 cm.
Collection Marwan-Hoss.

96. Étude pour Anmaviti Pontry, 1930.
Plume et encre de Chine.
Collection particulière.

97. Le Couscous chez le Pacha de Marrakech, 1926.
Aquarelle et gouache.
49 × 65 cm.
Ancienne collection.
Gustave COQUIOT.
Collection particulière.

98. Le Bœuf sur le toit, 1920.
Lithographie parue dans la Vague Musicale.
Planche n° 1.
Collection Marie-Pierre Bertin.

99. Carton d'Invitation pour la fête de la Mille et Deuxième Nuits. 1911.
Collection particulière.

100 à 109. Lithographies pour « la Fée Électricité ».
101 × 63 cm chacune.
Gravées par Charles Sorlier, chez Mourlot, 1952-1953.
Collection particulière.

110. Robe de chambre de Poiret avec tissu bagatelle de DUFY, 1925.
Paris, Musée de la Mode et du Costume.
(Hors exposition).

111. Robe de Paul Poiret, Soie Bianchini-Ferier.
Les Régates, 1925.
Collection particulière.

112. Foulard aux Perroquets.
D'après la gouache pour un tissu Bianchini-Férier « Les Perroquets » 1925-1928.
Collection particulière.

113. Foulard aux violons.
D'après la gouache pour un tissu Bianchini-Férier « Les Violons » 1914-1920.
Collection particulière.

114. Foulard aux Papillons.
D'après la gouache pour un tissu de Bianchini-Férier « Les Papillons », 1921.
Collection particulière.

115. Robes pour l'Été 1920, pour la Gazette du Bon ton.
Dessin, encre noire, gouache, sur esquisse au crayon noir, sur papier blanc.
Lyon, Musée des Tissus (dépôt du Musée d'Art Moderne de la Ville de Paris).

Raoul Dufy dans l'atelier de Saint-Ouen, devant la Fée Électricité, Mars 1937.

Biographie

1877
Le 3 juin, naissance de Raoul Dufy au Havre.

1891
Employé dans la maison d'importation de café Luthy et Hauser.

1892
Suit les cours du soir de Charles Lhuillier, avec Othon Friesz, à l'école municipale des Beaux-Arts du Havre.

1895-1898
Peint sur le motif, à l'aquarelle, des paysages du Havre et des environs ; des autoportraits et des membres de sa famille.

1898-1899
Année de service militaire.

1900
Rejoint Othon Friezz à l'École des Beaux-Arts de Paris, dans l'atelier de Léon Bonnat.

1901
Expose *La Fin de journée au Havre,* au Salon des artistes français.

1902
Berthe Weill l'accueille dan sa boutique de la rue Victor-Massé, pour une exposition de groupe. Elle est la première à lui acheter un pastel, *La Rue de Norvins.*

1903
Expose au Salon des indépendants des œuvres d'influence impressionniste.

1904
Voyage à Fécamp avec Marquet.

1905
Découvre *Luxe, calme et volupté* de Matisse au Salon des indépendants.

1905
« La cage aux fauves » au Salon d'automne. Dufy se rallie au fauvisme.

1906
Première exposition particulière chez Berthe Weill. Premier envoie au Salon d'automne. En compagnie de Marquet, peint les *Affiches à Trouville.*

1907
Aborde la gravure sur bois.

1908
Séjourne à Marseille, puis à l'Estaque, avec Braque, sur les pas de Cézanne.

1908-1915
Expérience « para-cubiste ». Œuvres d'inspiration cézannienne.

1909
Dufy s'installe dans un atelier, rue Séguier. Voyage à Munich avec Othon Friesz. Abandonné par son marchand Blot depuis un an, ne vend plus ses œuvres.

1910
Atelier, 27 rue Linné. Amitié avec Fernand Fleuret. Séjourne à Orgeville, dans la Villa Médicis libre du président Bonjean. Y rencontre André Lhote et Jean Marchand.

1910-1911
Illustre *Le Bestiaire* de Guillaume Apollinaire de bois gravés au canif et à la gouge.

1911
Épouse Eugénie Brisson à la mairie du XVIIIe, à Paris. Installe son atelier, 5, impasse de Guelma, à Montmartre. Fait la connaissance de Paul Poiret pour lequel il exécute différents travaux décoratifs (en-têtes de papier à lettres, de factures, décorations diverses pour les « fêtes » du couturier). Monte la Petite Usine avec Poiret. Imprime sur tissus ses bois gravés.

1912
Contrat avec la firme Atuyer-Bianchini-Férier par lequel il s'engage à fournir des projets à la gouache et à l'aquarelle pour des tissus. Poursuit son activité dans le domaine textile pendant la guerre et jusqu'en 1928.

1917-1918
Attaché au musée de la Guerre.

1919
Premier séjour à Vence.

1920
Acquiert un style personnel. Illustre *Les Madrigaux* de Stéphane Mallarmé. Contrat avec la galerie Bernheim-Jeune, renouvelé en 1921. Exécute les décors pour *Le Bœuf sur le toit* de Jean Cocteau, musique de Darius Milhaud. Produit des dessins pour *La Gazette du bon ton.*

1921
Première exposition à la galerie Bernheim-Jeune. Les suivantes se tiendront en 1922, 1924, 1926, 1927, 1929 et 1932.

1922
Exécute les décors pour le ballet *Frivolant.* Série des *Canotiers sur la Marne* (amorcée dès 1919). Fait la connaissance de Joseph Llorens Artigas.

1922-1923
Voyage à Florence, à Rome et à Naples. Séjourne en Sicile où il rencontre Pierre Courthion.

1923-1924
Début de ses travaux de céramique avec Artigas, collaboration qui s'étalera jusqu'en 1938.

1923
Première exposition à Bruxelles. Obtient la faveur des critiques belges.

1924
Aborde la technique de la tapisserie.

1925
Exécute 14 tentures pour la décoration de la péniche *Orgues* de Paul Poiret. Illustre *La Terre frottée d'ail* de Gustave Coquiot. Exécute une affiche pour l'Exposition orientale de la Bibliothèque nationale. Réalise les cartons pour les tapisseries d'un salon *Paris,* pour la Manufacture de Beauvais.

1926
Illustre les lithographies *Le Poète assassiné* de Guillaume Apollinaire.

1926-1933
Séjourne fréquemment dans le Midi et en Normandie.

1926
Voyage au Maroc en compagnie de Paul Poiret. Aquarelles marocaines exposées en 1927 chez Bernheim-Jeune.

1927-1933
Décoration murale de la salle à manger du Dr Viard.

1928
Décoration murale de la villa *L'Altana* de M. Weisweiller à Antibes. À Deauville, séries des courses et des régates, poursuivies les années suivantes.

1930
Voyage en Angleterre. Exécute *Les Cavaliers sous bois* (portrait de la famille Kessler). Illustre *La Belle Enfant* d'Eugène Montfort.

1931
Commence l'illustration de *Tartarin de Tarascon* d'Alphonse Daudet à la demande du Dr Roudinesco, travail achevé en 1936.

1932
Le Paddock à Deauville, premier tableau à entrer au musée du Luxembourg.

1933
Exécute les décors et les costumes pour le ballet *Palm Beach,* pour le comte Étienne de Beaumont.

1934
Décors pour *L'Œuf de Colomb* de René Kerdyck. Exposition à Bruxelles. Exécute un carton de tapisserie *Paris* pour Marie Cuttoli tissée chez Tabard à Aubusson. Réalise les cartons des sièges d'une salle à manger *Paris.*

1935
Rencontre le chimiste Jacques Maroger. Mise au point du « médium Maroger » qu'il adopte définitivement.

1936
Exécute les tapisseries *Paris* pour Marie Cuttoli.

1936-1937
Décoration pour le pavillon de l'Électricité de l'Exposition internationale de 1937 : *La Fée Électricité.*

1937
Premières atteintes de la polyarthrite. Séjourne aux États-Unis, membre du jury du prix Carnegie à Pittsburgh.

1938
Voyage à Venise.

1939
Installé à Saint-Denis-sur-Sarthon, termine le panneau décoratif pour le bar du nouveau théâtre du palais de Chaillot : *La Seine, de Paris à la mer.* Termine la décoration de deux panneaux pour la Singerie du Jardin des Plantes. Exécute des cartons pour les tapisseries d'un salon *Le Cortège d'Orphée* pour Marie Cuttoli.

1940
Réfugié à Nice, puis à Perpignan. Il s'installe chez son médecin, le Dr Nicolau, puis dans un atelier, rue Jeanne-d'Arc.

1941
Suivant les conseils de Lurçat, exécute deux cartons de tapisseries, *Collioure et Le Bel Été.* Commence l'importante série des ateliers et des orchestres. Louis Carré devient son marchand.

1941-1944
Nombreux séjours à Vernet-les-Bains.

1943-1944
Séjourne à Montsaunès, chez Roland Dorgelès.

1943
Bref séjour à Paris. Retour dans le Midi.

1944
Exécute les décors et les costumes pour *Les Fiancés du Havre* d'Armand Salacrou.

1945
Commence la série des *Cargo noir.* Exécute la série des *Dépiquage.*

1946
Début de sa peinture unitonale. S'installe dans un nouvel atelier, 2, rue de l'Ange, à Perpignan.

1946-1950
Exécute au dessin et à l'aquarelle des projets d'illustrations pour les *Bucoliques* de Virgile.

1948-1949
Réalise 8 cartons de tapisserie pour Louis Carré.

1949
Cure à Caldas de Montbuy. Incursion à Tolède.

1950
Voyage aux États-Unis. Séjourne à Boston, au Jewish Memorial Hospital où il est traité à la cortisone par le Dr Homburger.

1951
Décors pour *L'Invitation au château* de Jean Anouilh, montée par Gilbert Miller sous le titre *Ring around the Moon.* Séjourne à Tucson, en Arizona. Revient à Paris.

1952
Reçoit le Grand Prix de la XXVIe Biennale de Venise. Le musée d'Art et d'Histoire de Genève organise une exposition de ses œuvres. Dufy s'installe à Forcalquier.

1953
Le 25 mars, Raoul Dufy meurt à Forcalquier ; il est enterré le même jour au cimetière de Cimiez.

Raoul Dufy en 1949.

Bibliographie

LISTE DES OUVRAGES ILLUSTRÉS PAR RAOUL DUFY

1910
1 dessin dans *La Grande Revue.*

1911
30 gravures. 1 vignette. 3 lettrines, 3 bandeaux et culs-de-lampe sur bois pour Apollinaire, *Le Bestiaire ou Cortège d'Orphée,* Delplanche, gr. in-4. Tir. à 120 ex. (réédité en 1919 par La Sirène à 1 050 ex. avec les planches réduites).

1913
Ornements typographiques sur bois pour Reval, *Le Royaume du Printemps,* Mirasol, in-8.

1916
Couverture gravée sur bois d'après un dessin de l'auteur pour Fleuret. *Falourdin,* Delphes. Au trépied pythien, l'an IIIe du délire de Lamachus, in-6.
Bois pour Verhaeren. *Poèmes légendaires de France et de Brabant,* Société littéraire de France, in-6, 61 ex. de luxe + tir. ord.

1917
12 bois in-texte et 1 hors-texte pour *L'Almanach des Lettres et des Arts,* p.p. A. Mary et R. Dufy. Martine, in-16.
Frontispice et 29 bois in et hors-texte pour Allard. *Les Élégies martiales,* Camille Bloch. 180 ex. in-16 et 71 in-8.

1918
Portrait et 20 en-têtes sur bois pour Gourmont, *M. Croquant,* Georges Crès, in-16, 1 160 ex.

1919
2 bois pour la comtesse de Noailles. *Destinée,* Feuillets d'Art, gr. in-4, 1 200 ex.
Bois pour *L'Almanach de cocagne pour l'an 1920,* La Sirène, in-16.
1 dessin dans *Aujourd'hui,* Bernouard, in-4.

1920
4 bois dont 1 hors-texte pour *L'Almanach de cocagne pour l'an 1921,* La Sirène, in-16.
Lettrines gravées sur bois pour Duhamel, *Élégies,* Camille Bloch, in-4.
Frontispice pour Fleuret, *La Comtesse de Ponthieu,* La Sirène, pet. in-16.
18 dessins en plusieurs tons pour Gourmont, *Des pensées inédites,* La Sirène, in-16.
25 clichés coloriés au pochoir par Richard pour Mallarmé, *Madrigaux,* La Sirène, in-4. 110 ex. 5 dessins pour Willard, *Tour d'horizon,* Au Sans Pareil, in-16. 353 ex.

1921
Bois pour *L'Almanach de cocagne pour l'an 1922,* La Sirène, in-16.
Portrait en lithographie pour Claudel, *Ode jubilaire pour le six centième anniversaire de la mort de Dante,* N.R.F., in-12. 525 ex.
Portrait en lithographie pour Pellerin, *La Romance du retour,* N.R.F., coll. « Une œuvre, un portrait », in-16. 525 ex.

1922
Portrait gravé au burin par Gorvel pour Boylesve, *Ah ! Plaisez-moi...,* N.R.F., coll. « Une œuvre, un portrait », in-16. 1 050 ex.

1923
Couverture et 30 bois coloriés par J. Rosoy et L. Petibarat pour Fleuret. *Friperies,* N.R.F., in-16. 370 ex.

1924
1 planche en couleurs pour Hervieu, *L'Âme du cirque,* Librairie de France, gr. in-4. 386 ex.
1 planche en couleurs pour Morand, *Ouvert la nuit,* N.R.F., in-4. 320 ex.

1925
97 dessins dont 20 hors-texte pour Coquiot, *La Terre frottée d'ail,* Delpeuch, in-4. 116 ex. + tir. ord. in-16, ne comportant que 77 dessins.
Portrait pour Coulon, *L'Enseignement de Rémy de Gourmont,* Éd. du Siècle, in-12. 750 ex.
Portrait pour Tailhade, *Poésies posthumes,* Messein, in-12. 1 000 ex.

1926
36 lithographies pour Apollinaire, *Le Poète assassiné,* Au Sans Pareil, in-4. 470 ex.
3 dessins pour Coquiot, *En suivant la Seine,* Delpeuch, in-8. 235 ex.

1927
Portrait gravé par G; Aubert pour Fleuret, *Falourdin,* N.R.F., coll. « Une œuvre, un portrait », in-16. 809 ex.

1928
Portrait sur bois pour Allard. *Les Élégies martiales, 1915-1918,* N.R.F., coll. « Une œuvre, un portrait », in-16.
Frontispice pour Gide, *Les Nourritures terrestres,* N.R.F., coll. « À la gerbe », in-8. 125 ex.
Portrait gravé par Gorvel pour Gourmont, *Esthétique de la langue française,* Les Arts et le Livre, coll. « L'Intelligence », in-8. 1 120 ex.
Frontispice à l'eau-forte pour Mallarmé, *Poésies,* N.R.F., coll. « À la gerbe », in-8. 125 ex.
1 gravure pour Courthion, *Raoul Dufy,* Chroniques du jour, in-4. 375 ex., dont 50 sur Arches contenant seuls la gravure.

1929
Portrait pour Cocteau, Marc Ramo, George, *Maria Lani,* Éd. des Quatre-Chemins, in-4.

1930-1932
Projets à l'aquarelle pour *Normandie,* commande d'illustrations par Vollard, sur un texte du président Édouard Herriot, *La Forêt normande,* non abouti par suite de la mort de Vollard en 1939.

1930
1 lithographie pour Tharaud, « Georgina » dans *D'Ariane à Zoé,* Librairie de France, in-4. 220 ex.
Frontispice et 5 eaux-fortes pour Berr de Turique, *Raoul Dufy,* Floury, in-4. (Les 200 Japon de tête contiennent seuls les 5 eaux-fortes.)
94 eaux-fortes pour Montfort, *La Belle Enfant, ou l'Amour à quarante ans,* Vollard, in-4. 340 ex.

1931
1 vignette, 2 planches, 1 lettrine et 1 bandeau gravés sur bois pour Apollinaire, *Le Bestiaire au Cortège d'Orphée. Supplément : les deux poèmes refusés,* aux dépens d'un amateur, in-4. 29 ex. + 1 contenant les planches rayées.
Frontispice à l'eau-forte, bandeau, lettrine, 2 planches et cul-de-lampe en lithographie en couleurs pour Fleuret, *Éloge de Raoul Dufy,* pour les amis du Dr Lucien Graux, s.d., in-folio.

1931-1936
Lithographies en couleurs pour Daudet, *Aventures prodigieuses de Tartarin de Tarascon,* Scripta et Picta, in-4. 130 ex.

1932
6 dessins pour Courthion, *Suite montagnarde,* Éd. Lumière. 210 ex.
Trois portraits pour Montfort, *Choix de proses,* Les Marges.

1936
Frontispice pour Berthault, *Vaisseaux solaires,* préface de Montherlant, Correa, in-16.
19 aquarelles et couverture en noir pour Dérys, *Mon docteur le Vin,* Ets Nicolas, pet. in-4.

1937
1 eau-forte pour Gérard d'Hauville, *Mes Champs-Élysées,* dans *Paris1937,* Daragnès.

1940
20 eaux-fortes pour Brillat-Savarin, *Aphorismes et Variétés.* Les Bibliophiles du Palais, in-4. 200 ex.

1944
Portrait pour Salacrou, *Les Fiancés du Havre,* N.R.F., in-16.

1948-1949
1 lithographie et 7 dessins pour Massat, *La Source des jours,* Bordas.
2 aquarelles pour « La Tentative amoureuse », dans *Œuvres illustrées d'André Gide,* N.R.F.

1950
12 aquarelles pour Gide, *Les Nourritures terrestres et Les Nouvelles Nourritures,* « Le Rayon d'or », N.R.F.

1951
6 eaux-fortes et 1 lithographie pour Courthion, *Raoul Dufy,* Cailler. (Les 225 ex. de tête contiennent seuls les 7 illustrations.)
Dix aquarelles pour Colette, *Pour un herbier,* éd. Mermod.

1945-1951
Dessins au crayon pour Virgile, *Bucoliques,* projet pour Scripta et Picta, non abouti.

1953
16 lithographies originales et 45 illustrations pour Fargue, *Illuminations nouvelles,* Textes-Prétextes.

PRINCIPAUX CATALOGUES D'EXPOSITION

1927
Galerie Le Portique, Paris.

1941
Galerie Louis-Carré, Paris.

1947
Galerie Louis-Carré, Paris.

1949
Galerie Louis-Carré, New York.

1952
Raoul Dufy, musée d'Art et d'Histoire, Genève.

1953
Raoul Dufy, musée national d'Art moderne, Paris.

1955
Musée Toulouse-Lautrec, Albi.

1957
Rétrospective Dufy, Salon des indépendants, Paris.
Raoul Dufy, galerie Beyeler, Bâle.

1962
Legs de Mme Dufy au musée du Havre, maison de la Culture du Havre.

1963
Donation Dufy, musée du Louvre, galerie Mollien, Paris.
Hommage à Raoul Dufy, galerie des Ponchettes, Nice.

1967
Raoul Dufy, musée national d'Art occidental, Tokyo.

1968
Raoul Dufy, musée national d'Art moderne, Kyoto.

1972
Raoul Dufy, galerie Dina-Vierny, Paris.

1973
Raoul Dufy, créateur d'étoffes, Mulhouse.

1976
Raoul Dufy, galerie Wildenstein, Tokyo.

1977
Raoul Dufy dans les collections de la ville de Paris, musée d'Art moderne de la Ville de Paris.
Raoul Dufy, créateur d'étoffes 1910-1930, musée d'Art moderne de la Ville de Paris.
Raoul Dufy à Nice, galerie des Ponchettes, collections du musée des Beaux-Arts, Nice.
Raoul Dufy au musée national d'Art moderne, Paris.

1979
Impressions-créations de Raoul Dufy et Paul Poiret, musée des Beaux-Arts André-Malraux, Le Havre.

1981
Raoul Dufy 1877-1953, Theo Waddington, Londres.
Raoul Dufy, aquarelles, galerie Louis-Carré et Cie, Paris.

1983
Raoul Dufy, galerie Salis, Salzbourg.
Raoul Dufy, galerie Art Point, Tokyo.

1983-1984
Raoul Dufy, Hayward Gallery, Londres.

1984
Raoul Dufy, galerie Marwan Hoss, Paris.
Raoul Dufy, Holly Solomon Gallery, New York.

1985
Raoul Dufy, œuvres de 1904-1953, XXXe Salon de Montrouge.
Raoul Dufy et la Mode, I.I.C. Galerie Marcel-Bernheim, Paris.

1986
Raoul Dufy, Trianon de Bagatelle, Paris.

1987
Raoul Dufy Textile Design, galerie Art Point, Tokyo.
Raoul Dufy, association Campredon. Art et Culture, L'Isle-sur-la-Sorgue (Vaucluse).
Raoul Dufy, galerie Malingue, Paris.
Raoul Dufy, galerie Tamenaga, Tokyo.
Les Œuvres fauves de Raoul Dufy, musée de l'Annonciade, Saint-Tropez.

1988
Raoul Dufy, exposition itinérante, Shibo-Osaka-Shizuoka-Miyazaki-Fukuoka.

1989
Raoul Dufy et la Musique, musée des Beaux-Arts de Tours.

1989-1990
Raoul Dufy, Centro de expocisiones y congresos, Sarragosse.
Raoul Dufy, Fondación Caixa de Barcelona, Barcelone.
Raoul Dufy, Casa del Monte, Madrid.

1990
Raoul Dufy, céramiques, galerie Landrot, Paris.
Raoul Dufy et le Midi, Palais des Rois de Mallorque, Perpignan.
Raoul Dufy et le Midi, musée Paul-Valéry, Sète.

1991
Raoul Dufy, galerie Nichido, Tokyo.
Raoul Dufy, galerie Fanny Guillon-Laffaille, Paris.

1992
Raoul Dufy, J.P.L. Fine Arts, Londres.

1993
Raoul Dufy, l'amour des tissus, Honfleur.
Raoul Dufy et la musique, galerie Fanny Guillon-Laffaille, Paris.

PRINCIPALES MONOGRAPHIES

Pierre Courthion, *Raoul Dufy,* Paris, éd. des Chroniques du jour, 1929.

Marcelle Berr de Turique, *Raoul Dufy,* Paris, Floury, 1930.

Fernand Fleuret, *Eloge de Raoul Dufy,* Paris, Manuel Bruker, 1931.

Jean Ajalbert, *Les Peintres de la Manufacture nationale de tapisseries de Beauvais : Raoul Dufy,* Paris, Eugène Rey, 1932.

Louis Carré, *Dessins et croquis extraits des cartons et carnets de Raoul Dufy,* Paris, Louis Carré, 1944.

Jean Cassou, *Raoul Dufy, poète et artisan,* Genève, Skira, 1946.

Pierre Courthion, *Raoul Dufy,* Genève, Cailler, 1951.

Bernard Dorival, *La Belle Histoire de la Fée Électricité de Raoul Dufy,* Paris, La Palme, 1953.

Alfred Werner, *Raoul Dufy,* New York, Abrams, 1953.

Jacques Lassaigne, *Dufy,* Genève, Skira, 1954.

Raymond Cogniat, *Dufy décorateur,* Genève, Cailler, 1957.

Raymond Cogniat, *Raoul Dufy,* Paris, Flammarion, 1962.

Marcelle Oury, *Lettres à mon peintre,* Paris, Perrin, 1965.

Alfred Werner, *Raoul Dufy,* Paris, Nouvelles Éditions françaises, 1970.

Guido Perroco, *Dufy,* Paris, Hachette, 1979.

Alfred Werner, *Dufy,* Paris, Éditions Cercle d'Art, 1985.

ARTICLES – NUMÉROS SPÉCIAUX

Henri Clouzot, « Les Tissus modernes de Raoul Dufy », *Art et Décoration,* décembre 1920, p. 177-182.

Raoul Dufy, « Les Tissus imprimés », *L'Amour de l'art,* n° 1, mai 1920, p. 18-19.

Jean Cassou, « Dessins de Raoul Dufy », *Cahiers d'art,* n° 1, 1927, p. 17-22.

Christian Zervos, « Œuvres récentes de Raoul Dufy », *Cahiers d'art,* n°s 4-5, 1927, p. 131-140.

Numéro spécial des *Cahiers d'art,* 1928.

Numéro spécial de *Sélection,* mars 1928.

Fernand Fleuret, « Le Peintre de la joie, Raoul Dufy », *Formes,* n° 10, décembre 1930, p. 5-6.

Arsène Alexandre, « L'Exposition parisienne de Beauvais. Le mobilier de Raoul Dufy », *La Renaissance de l'art français et des industries de luxe,* 1932, p. 42-46.

Claude Roger-Marx, « Raoul Dufy illustrateur ». *La Renaissance de l'art français et des industries de luxe,* n° 3, 1938, p. 40-42.

Gertrude Stein, « Raoul Dufy », *Les Arts plastiques,* 1949, p. 135-145.

Pierre Courthion, « Raoul Dufy au musée d'Art moderne », *Arts,* 26 juin 1953.

Bernard Dorival, « Raoul Dufy et le Portrait », *La Revue des Arts,* n° 3, septembre 1955, p. 175-180.

Bernard Dorival, « Le Thème des baigneurs chez Raoul Dufy », *La Revue des Arts,* n° 4, décembre 1955, p. 238-242.

Bernard Dorival, « Un chef-d'œuvre de Raoul Dufy entre au musée d'Art moderne », *La Revue des Arts,* n° 4, juillet-août 1957, p. 170-174.

Bernard Dorival, « Les *Affiches à Trouville* de Raoul Dufy », *La Revue des Arts,* n° 5, septembre-octobre 1957, p. 225-228.

Georges Charensol, « Raoul Dufy au Louvre », *Revue des deux mondes,* 15 mars 1963, p. 283-286.

Bernard Dorival, Michel Hoog, « Le Legs de Mme Raoul Dufy au musée national d'Art moderne », *La Revue du Louvre et des Musées de France,* n°s 4-5, 1963, p. 209-236.

Gilberte Martin-Méry, « Hommage à Raoul Dufy », *La Revue du Louvre et des Musées de France,* n°s 4-5, 1970, p. 305-308.

Axelle de Broglie, « Dufy, pure soie », *Connaissance des arts,* n° 256, juin 1973, p. 110-113.

Geneviève Breerette, « Dufy créateur d'étoffes », *Le Monde,* 27 juillet 1973.

Anne-Marie Christin, « Images d'un texte : Dufy illustrateur de Mallarmé », *Revue de l'art,* n° 44, 1979, p. 68-74.

Jean-Marie Tuscherer, « Raoul Dufy et la Mode », *Canal,* janvier 1979, n° 24, p. 22.

Antoinette Rézé-Huré, « Raoul Dufy, le signe », *Cahiers du musée national d'Art Moderne,* n° 5, 1980, p. 410-422.

John Mac Ewen « Raoul revealed », *The Spectator,* 19 novembre 1983.

André Fermigier, « Amours, Délices et Orgues. Dufy à Londres », *Le Monde,* 18 janvier 1984, p. 1 et 16.

Peter de Francia, « Dufy at the Hayward », *The Burlington Magazine,* janvier 1984, vol. LXXVI, n° 970.

John Mac Ewen, « The other Raoul Dufy », Arts in America, mars 1984, p. 120-127.

John Russel, « An introduction to range of Raoul Dufy », New York times, 1er janvier 1984, p. 23-24.

Jed Perl, « Dufy among the pattern painters », *The New Criterion,* vol. III, n° 6, février 1985, p. 25-33.

Jean-Marie Tasset, « Salon de Montrouge, le Défi de Dufy », *Le Figaro,* 24 mai 1985.

Marie-Claude Valaison, « Les Dufy du musée Hyacinthe Rigaud », *Bulletin des amis du musée Rigaud,* n° 4.

Jean-Marie Tasset, « Dufy : l'éclair fauve » *Le Figaro,* 11 août 1987.

Elisabeth Vedrenne-Careri, « Dufy décoratif » *Beaux-Arts,* n° 72, octobre 1989.

Dora Perez-Tibi, « Raoul Dufy ou le bonheur de créer », *Maison et Jardin,* novembre 1989.

Marie-Claude Valaison, « Les œuvres de Dufy au musée Hyacinthe Rigaud ».

Dora Perez-Tibi, « Dufy », Paris, Flammarion.

Jean Forneris, « Galerie-Musée Raoul Dufy, Nice », *Direction des Musées de France,* 1990.

CATALOGUES RAISONNÉS

Maurice Lafaille, *Raoul Dufy, catalogue raisonné de l'œuvre peint,* Genève, éd. Motte, 1972-1977.

Fanny Guillon-Lafaille, *Raoul Dufy, catalogue raisonné des aquarelles, gouaches et pastels,* Paris, éd. Louis-Carré et Cie, 1981-1982.

Maurice Lafaille, Fanny Guillon-Laffaille, *Raoul Dufy, catalogue raisonné de l'œuvre peint, supplément,* Paris, éd. Louis-Carré et Cie, 1985.

Fanny Guillon-Laffaille, *catalogue raisonné des dessins de Raoul Dufy, tome O,* Paris, éd. Marval, Galerie Fanny Guillon-Laffaille, 1991.

Dufy, Atelier de Perpignan, place Arago, 1946.

Crédits Photographiques

Henri Del Olmo : p. 6 - Château de Villeneuve Vence.

Fanta Barton : ill. 14, 83, 112, 113, 114.

Jean-Louis Losi : p. 22 - ill. 1, 2, 4, 6, 7, 8, 11, 12, 42, 48, 92, 97, 100, 101, 102, 103, 104, 105, 106, 107, 108, 109.

Mario Guéneau : 28, 88.

Musée des Arts Décoratifs : 3, 13, 19, 20, 21, 22, 23, 24, 25, 26, 77, 78, 79, 80, 81, 82.

Archives Larock-Granoff : 5, 9, 10.

Karquel : p. 142.

Musée des Beaux-Arts André Malraux - Le Havre : 30, 84.

Flammarion : p. 27 - ill. 12, 15, 16, 17, 18, 27, 29, 30, 31, 32, 76, 86, 87, 88, 89, 90, 91, 93, 110, 111.

Archives Galerie Matignon Fine Art : p. 18 - ill. 33, 35, 36, 37, 38, 39, 40, 41, 43, 44, 45, 46, 49, 50, 51, 52, 55, 56, 57, 58, 59, 60, 61, 62, 63, 64, 65, 66, 67, 68, 69, 70, 71, 72, 73, 74, 75 - 4e de couverture.

Michel de Lorenzo : 34, 47, 53, 54, 85, 94.

Musée de l'Impression sur Étoffe - Mulhouse : 32.

Archives Marwan-Hoss : 95.

Musée Historique des Tissus de Lyon : 115.

Paul Koruna : p. 152.

Pages : 8, 148 et 158 : Droits réservés.

Conception et réalisation
Éditions Anthèse
30, avenue Jean-Jaurès
94110 ARCUEIL

Imprimerie Alençonnaise
2, rue Édouard-Belin, 61002 Alençon
Dépôt légal : 3e trimestre 1993 - N° d'ordre : 28513